Introduction
à la littérature
fantastique

Tzvetan Todorov

Introduction à la littérature fantastique

Éditions du Seuil

La première édition de ce livre a paru
dans la collection « Poétique »
dirigée par Gérard Genette et Tzvetan Todorov.

ISBN 978-2-7578-5013-8
(ISBN 978-2-02-002035-0, 1ʳᵉ publication)

1

Les genres littéraires

*Etudier la littérature fantastique implique qu'on
sache ce qu'est un « genre littéraire ». - Considé-
rations générales sur les genres. - Une théorie
contemporaine des genres : celle de Northrop
Frye. - Sa théorie de la littérature. - Ses classifications en genres. - Critique de Frye. - Frye et
les principes structuralistes. - Bilan des résultats
positifs. - Note finale mélancolique.*

L'expression « littérature fantastique » se réfère à une variété
de la littérature ou, comme on dit communément, à un genre
littéraire. Examiner des œuvres littéraires dans la perspective
d'un genre est une entreprise tout à fait particulière. Dans le
propos qui est le nôtre, c'est découvrir une règle qui fonctionne à travers plusieurs textes et nous fait leur appliquer le
nom d' « œuvres fantastiques », non ce que chacun d'eux a de
spécifique. Etudier *la Peau de chagrin* dans la perspective du
genre fantastique est tout autre chose qu'étudier ce livre pour
lui-même, ou dans l'ensemble de l'œuvre balzacien, ou dans
celui de la littérature contemporaine. Le concept de genre est
donc fondamental pour la discussion qui va suivre. C'est pourquoi il faut commencer par éclairer et préciser ce concept,
même si un tel travail nous écarte en apparence du fantastique
lui-même.

L'idée de genre implique aussitôt plusieurs questions ; heureusement, certaines d'entre elles se dissipent aussitôt qu'on les
a formulées d'une manière explicite. Voici la première : a-t-on le
droit de discuter un genre sans avoir étudié (ou au moins lu)

toutes les œuvres qui le constituent ? L'universitaire qui nous
pose cette question pourrait ajouter que les catalogues de littérature fantastique comptent des milliers de titres. De là, il n'y a
qu'un pas à faire pour voir surgir l'image de l'étudiant laborieux,
enseveli sous des livres qu'il devra lire à raison de trois par jour,
hanté par l'idée que des textes nouveaux sans cesse s'écrivent et
qu'il ne parviendra sans doute jamais à les absorber tous. Mais
un des premiers traits de la démarche scientifique est qu'elle
n'exige pas l'observation de toutes les instances d'un phénomène
pour le décrire ; elle procède bien plutôt par déduction. On
relève, en fait, un nombre relativement limité d'occurrences,
on en tire une hypothèse générale, et on la vérifie sur d'autres
œuvres, en la corrigeant (ou la rejetant). Quel que soit le nombre
des phénomènes étudiés (ici, des œuvres), nous serons toujours
aussi peu autorisés à en déduire des lois universelles ; la quantité
des observations n'est pas pertinente, mais uniquement la cohérence logique de la théorie. Comme l'écrit Karl Popper : « D'un
point de vue logique, nous ne sommes pas justifiés à inférer des
propositions universelles à partir de propositions singulières,
si nombreuses qu'elles soient ; car toute conclusion tirée de cette
façon pourra toujours se révéler fausse : peu importe le nombre
de cygnes blancs que nous aurons pu observer, cela ne justifie
pas la conclusion que *tous* les cygnes sont blancs » (p. 27) [1].
En revanche, une hypothèse fondée sur l'observation d'un
nombre restreint de cygnes mais qui nous dirait que leur
blancheur est la conséquence de telle particularité organique,
une telle hypothèse serait parfaitement légitime. Pour revenir
des cygnes aux romans, cette vérité scientifique générale s'applique non seulement à l'étude des genres mais aussi à celle de
l'œuvre entière d'un écrivain, ou à celle d'une époque, etc. ;
laissons donc l'exhaustivité à ceux qui s'en contentent.

1. On trouvera les références complètes des ouvrages cités à la fin de ce
volume. Elles sont rangées dans l'ordre alphabétique. Dans le cas de plusieurs ouvrages d'un même auteur, une indication, parfois abrégée, du titre
cité apparaît dans le texte.

Le niveau de généralité auquel vient se placer tel ou tel genre soulève une deuxième question. Y a-t-il seulement quelques genres (p. ex. poétique, épique, dramatique) ou beaucoup plus ? Les genres sont-ils en nombre fini ou infini ? Les formalistes russes penchaient pour une solution relativisite ; Tomachevski écrivait : « Les œuvres se distribuent en de vastes classes qui, à leur tour, se différencient en types et espèces. Dans ce sens, descendant l'échelle des genres, nous arriverons des classes abstraites aux distinctions historiques concrètes (le poème de Byron, la nouvelle de Tchekhov, le roman de Balzac, l'ode spirituelle, la poésie prolétaire) et même aux œuvres particulières » (p. 306-307). Cette phrase soulève, à vrai dire, plus de problèmes qu'elle n'en résout, et on y reviendra bientôt ; mais on peut accepter déjà l'idée que les genres existent à des niveaux de généralité différents et que le contenu de cette notion se définit par le point de vue qu'on a choisi.

Un troisième problème est propre à l'esthétique. On nous dit : parler des genres (tragédie, comédie, etc.) est vain car l'œuvre est essentiellement unique, singulière, elle vaut par ce qu'elle a d'inimitable, de différent de toutes les autres œuvres, et non par ce en quoi elle leur ressemble. Si j'aime *la Chartreuse de Parme*, ce n'est pas parce que c'est un roman (genre) mais parce que c'est un roman différent de tous les autres (œuvre individuelle). Cette réponse connote une attitude romantique à l'égard de la matière observée. Une telle position n'est pas, à proprement parler, fausse ; elle est simplement déplacée. On peut très bien aimer une œuvre pour telle ou telle raison ; ce n'est pas cela qui la définit comme objet d'étude. Le mobile d'une entreprise de savoir n'a pas à dicter la forme que prend ensuite celle-ci. Quant au problème esthétique en général, on ne l'abordera pas ici : non qu'il soit inexistant, mais parce que, très complexe, il dépasse de loin nos moyens actuels.

Cependant, cette même objection peut être formulée en des termes différents, où elle devient beaucoup plus difficile à réfu-

ter. Le concept de genre (ou d'espèce) est emprunté aux sciences
naturelles ; ce n'est pas un hasard, d'ailleurs, si le pionnier de
l'analyse structurale du récit, V. Propp, usait d'analogies avec
la botanique ou la zoologie. Or, il existe une différence qualitative quant au sens des termes « genre » et « spécimen »
selon qu'ils sont appliqués aux êtres naturels ou aux œuvres
de l'esprit. Dans le premier cas, l'apparition d'un nouvel exemplaire ne modifie pas en droit les caractéristiques de l'espèce ;
par conséquent, les propriétés de celui-là sont entièrement
déductibles à partir de la formule de celle-ci. Sachant ce qu'est
l'espèce tigre, nous pouvons en déduire les propriétés de chaque tigre particulier ; la naissance d'un nouveau tigre ne modifie pas l'espèce en sa définition. L'action de l'organisme individuel sur l'évolution de l'espèce est si lente qu'on peut en
faire abstraction dans la pratique. De même pour les énoncés
d'une langue (bien qu'à un degré moindre) : une phrase individuelle ne modifie pas la grammaire, et celle-ci doit permettre
de déduire les propriétés de celle-là.

Il n'en va pas de même dans le domaine de l'art ou de la
science. L'évolution suit ici un rythme tout à fait différent :
toute œuvre modifie l'ensemble des possibles, chaque nouvel
exemple change l'espèce. On pourrait dire que nous sommes en
face d'une langue dont tout énoncé est agrammatical au
moment de son énonciation. Plus exactement, nous ne recon-
naissons à un texte le droit de figurer dans l'histoire de la littérature ou dans celle de la science, que pour autant qu'il apporte
un changement à l'idée qu'on se faisait jusqu'alors de l'une ou
de l'autre activité. Les textes qui ne remplissent pas cette condition passent automatiquement dans une autre catégorie : celle
de la littérature dite « populaire », « de masse », là ; celle de
l'exercice scolaire, ici. (Une comparaison s'impose alors à l'esprit : celle du produit artisanal, de l'exemplaire unique, d'une
part ; et du travail à la chaîne, du stéréotype mécanique, de
l'autre.) Pour revenir à la matière qui est la nôtre, seule la
littérature de masse (histoires policières, romans-feuilletons,

science-fiction, etc.) devrait appeler la notion de genre ; celle-ci serait inapplicable aux textes proprement littéraires.

Une telle position nous oblige à expliciter nos propres assises théoriques. Devant tout texte appartenant à la « littérature », on devra tenir compte d'une double exigence. Premièrement, on ne doit pas ignorer qu'il manifeste des propriétés qui lui sont communes avec l'ensemble des textes littéraires, ou avec un des sous-ensembles de la littérature (que l'on appelle précisément un genre). Il est difficilement imaginable aujourd'hui qu'on puisse défendre la thèse selon laquelle tout, dans l'œuvre, est individuel, produit inédit d'une inspiration personnelle, fait sans aucun rapport avec les œuvres du passé. Deuxièmement, un texte n'est pas seulement le produit d'une combinatoire préexistante (combinatoire constituée par les propriétés littéraires virtuelles) ; il est aussi une transformation de cette combinatoire.

On peut donc déjà dire que toute étude de la littérature participera, qu'elle le veuille ou non, de ce double mouvement : de l'œuvre vers la littérature (ou le genre), et de la littérature (du genre) vers l'œuvre ; privilégier provisoirement l'une ou l'autre direction, la différence ou la ressemblance, est une démarche parfaitement légitime. Mais il y a plus. Il est de la nature même du langage de se mouvoir dans l'abstraction et dans le « générique ». L'individuel ne peut pas exister *dans* le langage, et notre formulation de la spécificité d'un texte devient automatiquement la description d'un genre, dont la seule particularité est que l'œuvre en question en serait le premier et l'unique exemple. Toute description d'un texte, du fait même qu'elle se fait à l'aide des mots, est une description de genre. Ce n'est d'ailleurs pas là une affirmation purement théorique ; l'exemple nous en est sans cesse fourni par l'histoire littéraire, dès lors que des épigones imitent précisément ce qu'il y avait de spécifique chez l'initiateur.

Il ne peut donc pas être question de « rejeter la notion de genre », comme le demandait Croce, par exemple : un tel rejet impliquerait le renoncement au langage et ne saurait, par définition, être formulé. Il importe, en revanche, d'être conscient du degré d'abstraction que l'on assume et de la position de cette abstraction face à l'évolution effective ; celle-ci se trouve inscrite de la sorte dans un système de catégories qui la fonde et en dépend en même temps.

Reste que la littérature semble abandonner aujourd'hui la division en genres. Maurice Blanchot écrivait, il y a déjà dix ans : « Seul importe le livre, tel qu'il est, loin des genres, en dehors des rubriques, prose, poésie, roman, témoignage, sous lesquelles il refuse de se ranger et auxquelles il dénie le pouvoir de lui fixer sa place et de déterminer sa forme. Un livre n'appartient plus à un genre, tout livre relève de la seule littérature, comme si celle-ci détenait par avance, dans leur généralité, les secrets et les formules qui permettent seuls de donner à ce qui s'écrit réalité de livre » (*le Livre à venir*, p. 243-244). Pourquoi alors soulever ces problèmes périmés ? Gérard Genette y a bien répondu : « Le discours littéraire se produit et se développe selon des structures qu'il ne peut même transgresser que parce qu'il les trouve, encore aujourd'hui, dans le champ de son langage et de son écriture » (*Figures II*, p. 15). Pour qu'il y ait transgression, il faut que la norme soit sensible. Il est d'ailleurs douteux que la littérature contemporaine soit tout à fait exempte de distinctions génériques ; seulement, ces distinctions ne correspondent plus aux notions léguées par les théories littéraires du passé. On n'est évidemment pas obligé de suivre celles-ci maintenant ; plus même : une nécessité se fait jour d'élaborer des catégories abstraites qui puissent s'appliquer aux œuvres d'aujourd'hui. D'une manière plus générale, ne pas reconnaître l'existence des genres équivaut à prétendre que l'œuvre littéraire n'entretient pas de relations avec les œuvres déjà existantes. Les genres sont précisément ces relais par lesquels l'œuvre se met en rapport avec l'univers de la littérature.

Interrompons ici nos lectures disparates. Pour faire un pas

en avant, choisissons une théorie contemporaine des genres, et soumettons-la à une discussion plus serrée. Ainsi, à partir d'un exemple, on pourra mieux voir quels principes positifs doivent guider notre travail, quels sont les dangers à éviter. Ce qui ne veut pas dire que des principes nouveaux ne surgiront pas de notre discours même, en cours de route ; ni que des écueils insoupçonnés n'apparaîtront pas en des points multiples.

La théorie des genres qu'on discutera en détail est celle de Northrop Frye, telle qu'elle est formulée, en particulier, dans son *Anatomy of Criticism*. Ce choix n'est pas gratuit : Frye occupe aujourd'hui une place prédominante parmi les critiques anglo-saxons et son œuvre est, sans aucun doute, une des plus remarquables dans l'histoire de la critique depuis la dernière guerre. *Anatomy of Criticism* est à la fois une théorie de la littérature (et donc des genres) et une théorie de la critique. Plus exactement, ce livre se compose de deux types de textes, les uns d'ordre théorique (l'introduction, la conclusion et le second essai : « Ethical Criticism : Theory of Symbols »), les autres, plus descriptifs ; c'est là précisément que se trouve décrit le système des genres propre à Frye. Mais pour être compris, ce système ne peut être isolé de l'ensemble ; aussi commencerons-nous par la partie théorique.

En voici les traits principaux.

1. On doit pratiquer les études littéraires avec le même sérieux, la même rigueur qu'on manifeste dans les autres sciences. « Si la critique existe, elle doit être un examen de la littérature dans les termes d'un cadre conceptuel qui sorte de l'étude inductive du champ littéraire. (...) La critique comporte un élément scientifique qui la distingue d'une part du parasitisme littéraire, de l'autre, de l'attitude critique paraphrasante » (p. 7), etc.

2. Une conséquence de ce premier postulat est la nécessité d'écarter des études littéraires tout jugement de valeur sur les œuvres. Frye est assez abrupt sur ce point ; on pourrait nuancer son verdict et dire que l'évaluation aura sa place dans le

champ de la poétique, mais que, pour l'instant, s'y référer serait
compliquer inutilement les choses.

3. L'œuvre littéraire, de même que la littérature en général,
forme un système ; rien n'y est dû au hasard. Ou comme l'écrit
Frye : « Le premier postulat de ce bond inductif [qu'il nous
propose de faire] est le même que celui de toute science :
c'est le postulat de la cohérence totale » (p. 16).

4. Il faut distinguer la synchronie de la diachronie : l'analyse
littéraire exige qu'on opère des coupes synchroniques dans
l'histoire, et c'est à l'intérieur de celles-ci qu'on doit *commencer*
par chercher le système. « Lorsqu'un critique traite d'une
œuvre littéraire, la chose la plus naturelle qu'il puisse faire est
de la " geler " [*to freeze it*], d'ignorer son mouvement dans le
temps et de la considérer comme une configuration de mots,
dont toutes les parties existent simultanément », écrit Frye dans
un autre ouvrage (*Fables*, p. 21).

5. Le texte littéraire n'entre pas en relation de référence avec
le « monde », comme le font souvent les phrases de notre discours quotidien, il n'est pas « représentatif » d'autre chose que
lui-même. En cela la littérature ressemble, plutôt qu'au langage
courant, aux mathématiques : le discours littéraire ne peut
pas être vrai ou faux, il ne peut être que valide par rapport à
ses propres prémisses. « Le poète, comme le pur mathématicien,
dépend non de la vérité descriptive mais de la conformité à
ses postulats hypothétiques » (p. 76). « La littérature, comme
les mathématiques, est un langage, et un langage en lui-même
ne représente aucune vérité, bien qu'il puisse fournir le moyen
d'exprimer un nombre illimité de vérités » (p. 354). Par là
même, le texte littéraire participe de la tautologie : il se signifie
lui-même. « Le symbole poétique se signifie essentiellement
lui-même, en sa relation avec le poème » (p. 80). La réponse du
poète sur ce que tel élément de son œuvre signifie, doit toujours
être : « Sa signification, c'est d'être un élément de l'œuvre. »
(« I meant it to form a part of the play ») (p. 86).

6. La littérature se crée à partir de la littérature, non à

partir de la réalité, que celle-ci soit matérielle ou psychique ; toute œuvre littéraire est conventionnelle. « On ne peut faire de poèmes qu'à partir d'autres poèmes, de romans qu'à partir d'autres romans » (p. 97). Et dans un autre texte, *The Educated Imagination* : « Le désir d'écrire de l'écrivain ne peut venir que d'une expérience préalable de la littérature... La littérature ne tire ses formes que d'elle-même » (p. 15-16). « Tout ce qui est nouveau en littérature est du vieux reforgé... L'expression de soi en littérature, voilà une chose qui n'a jamais existé » (p. 28-29).

Aucune de ces idées n'est tout à fait originale (bien que Frye cite rarement ses sources) : on peut les trouver d'une part chez Mallarmé ou Valéry ainsi que dans une tendance de la critique française contemporaine qui en continue la tradition (Blanchot, Barthes, Genette) ; de l'autre, très abondamment, chez les Formalistes russes ; enfin chez des auteurs comme T. S. Eliot. L'ensemble de ces postulats, qui valent aussi bien pour les études littéraires que pour la littérature elle-même, constituent notre propre point de départ. Mais tout cela nous a mené bien loin des genres. Passons à la partie du livre de Frye, qui nous intéresse plus directement. Au long de son ouvrage (il faut se souvenir que celui-ci est constitué de textes qui ont paru d'abord séparément), Frye propose plusieurs séries de catégories qui permettent toutes la subdivision en genres (bien que le terme de « genre » ne soit appliqué par Frye qu'à une seule de ces séries). Je ne me propose pas de les exposer en substance. Conduisant ici une discussion purement méthodologique, je me contenterai de retenir l'articulation logique de ses classifications, sans donner d'exemples détaillés.

1. La première classification définit les « modes de la fiction ». Ils se constituent à partir de la relation entre le héros du livre et nous-mêmes ou les lois de la nature, et sont au nombre de cinq :

1. Le héros a une supériorité (de nature) sur le lecteur et sur les lois de la nature ; ce genre s'appelle le *mythe.*

2. Le héros a une supériorité (de degré) sur le lecteur et les lois de la nature ; le genre est celui de la *légende* ou du *conte de fées.*

3. Le héros a une supériorité (de degré) sur le lecteur mais non sur les lois de la nature ; nous sommes dans le *genre mimétique haut.*

4. Le héros est à égalité avec le lecteur et les lois de la nature ; c'est le *genre mimétique bas.*

5. Le héros est inférieur au lecteur ; c'est le genre de l'*ironie* (p. 33-34).

2. Une autre catégorie fondamentale est celle de la vraisemblance : les deux pôles de la littérature sont alors constitués par le récit vraisemblable et le récit où tout est permis (p. 51-52).

3. Une troisième catégorie met l'accent sur deux tendances principales de la littérature : le comique, qui concilie le héros avec la société ; et le tragique, qui l'en isole (p. 54).

4. La classification qui semble bien être la plus importante pour Frye est celle qui définit des archétypes. Ceux-ci sont au nombre de quatre (quatre mythoï) et se fondent sur l'opposition du réel et de l'idéel. Ainsi se trouvent caractérisées la « romance [1] » (dans l'idéel), l'ironie (dans le réel), la comédie (passage du réel à l'idéel), la tragédie (passage de l'idéel au réel) (p. 158-162).

5. Vient ensuite la division en genres proprement dits, qui se fonde sur le type d'audience que les œuvres devraient avoir. Les genres sont : le drame (œuvres représentées), la poésie lyrique (œuvres chantées), la poésie épique (œuvres récitées), la prose (œuvres lues) (p. 246-250). A cela s'ajoute la précision suivante : « La distinction la plus importante est liée au fait que la poésie épique est épisodique, alors que la prose est continue » (p. 249).

6. Enfin une dernière classification apparaît à la p. 308,

1. Le français ne possède pas de terme équivalent pour désigner ce genre.

qui s'articule autour des oppositions intellectuel/personnel et introverti/extroverti, et qu'on pourrait présenter schématiquement de la manière suivante :

	intellectuel	personnel
introverti	*confession*	« *romance* »
extroverti	« *anatomie* »	*roman*

Ce sont là quelques-unes des catégories (et, dirons-nous aussi, des genres) proposées par Frye. Son audace est évidente et louable ; reste à voir ce qu'elle apporte.

I. Les premières remarques que nous formulerons, et les plus faciles, sont fondées sur la logique, pour ne pas dire le bon sens (leur utilité pour l'étude du fantastique apparaîtra, espérons-le, plus tard). Les classifications de Frye ne sont pas logiquement cohérentes : ni entre elles, ni à l'intérieur de chacune d'entre elles. Dans sa critique de Frye, Wimsatt avait déjà, à juste titre, indiqué l'impossibilité de coordonner les deux classements principaux, ceux qui ont été résumés en 1. et en 4. Quant aux inconséquences internes, il suffira, pour les faire apparaître, d'une rapide analyse de la classification 1.

On y compare une unité, le héros, avec deux autres, *a)* le lecteur (« nous-mêmes ») et *b)* les lois de la nature. De plus, la relation (de supériorité) peut être soit qualitative (« de nature ») soit quantitative (« de degré »). Mais en schématisant cette classification, on s'aperçoit que de nombreuses combinaisons possibles sont absentes de l'énumération de Frye. Disons tout de suite qu'il y a asymétrie : aux trois catégories de supériorité du héros ne correspond qu'une seule catégorie d'infériorité ; d'autre part, la distinction « de nature — de degré » est appliquée une seule fois, alors qu'on pourrait la faire surgir à propos de chaque catégorie. Il est sans doute possible de parer au reproche d'incohérence en postulant des restrictions supplémentaires qui réduisent le nombre des possibles : p. ex., on dira que, dans le cas du rapport du héros aux lois de la nature, la relation joue entre un ensemble et un élément, non entre deux éléments : si le héros obéit à ces lois, il ne peut plus être question de différence entre qualité et quantité. De même on pourrait préciser que si le héros est inférieur aux lois de la nature, il peut être supérieur au lecteur, mais que l'inverse n'est pas vrai. Ces restrictions supplémentaires permettraient d'éviter des inconséquences : mais il est absolument nécessaire de les formuler. Sans quoi nous manions un système non explicite et restons dans le domaine de la foi, à moins que ce ne soit dans celui des superstitions.

Une objection à nos propres objections pourrait être : si Frye n'énumère que cinq genres (modes) sur treize possibilités théoriquement énonçables, c'est que ces cinq genres ont existé, ce qui n'est pas vrai des huit autres. Cette remarque nous amène à une distinction importante entre deux sens que l'on donne au mot genre ; pour éviter toute ambiguïté, on devrait poser d'une part les *genres historiques,* de l'autre, les *genres théoriques.* Les premiers résulteraient d'une observation de la réalité littéraire ; les seconds, d'une déduction d'ordre théorique. Ce que nous avons appris à l'école sur les genres, se rapporte toujours aux genres historiques : on parle d'une tragédie classique, parce qu'il y a eu, en France, des œuvres qui affichaient ouvertement leur appartenance à cette forme littéraire. On trouve des exemples de genres théoriques, en revanche, dans les ouvrages des poéticiens anciens ; ainsi Diomède, au IVe siècle, divise, à la suite de Platon, toutes les œuvres en trois catégories : celles où le narrateur seul parle ; celles où les personnages seuls parlent ; celles enfin où l'un et les autres parlent. Cette classification ne se fonde pas sur un rapprochement des œuvres à travers l'histoire (comme dans le cas des genres historiques) mais sur une hypothèse abstraite qui postule que le sujet de l'énonciation est l'élément le plus important de l'œuvre littéraire et que, selon la nature de ce sujet, on peut distinguer un nombre logiquement calculable de genres théoriques.

Or, le système de Frye est, comme celui du poéticien ancien, constitué de genres *théoriques* et non pas historiques. Il y a tel nombre de genres non parce qu'on n'en a pas observé davantage mais parce que le principe du système l'impose. Il est donc nécessaire de déduire toutes les combinaisons possibles à partir des catégories choisies. On pourrait même dire que, si l'une de ces combinaisons ne s'était effectivement jamais manifestée, nous devrions la décrire encore plus volontiers : de même que dans le système de Mendeleïev, on peut décrire les propriétés des éléments qu'on n'a pas encore découverts, de même ici on décrira les propriétés des genres — et donc des œuvres — à venir.

On peut tirer à partir de cette première observation deux autres remarques. D'abord, toute théorie des genres se fonde sur une conception de l'œuvre, sur une image de celle-ci, qui comporte d'une part un certain nombre de propriétés abstraites, de l'autre, des lois qui régissent la mise en relation de ces propriétés. Si Diomède divise les genres en trois catégories, c'est qu'il postule, à l'intérieur de l'œuvre, un trait : l'existence d'un sujet de l'énonciation ; de plus, en fondant sa classification sur ce trait, il témoigne de l'importance primordiale qu'il lui accorde. De même, si Frye se fonde pour sa classification sur la relation de supériorité ou d'infériorité entre le héros et nous-mêmes, c'est qu'il considère cette relation comme un élément de l'œuvre et, de plus, comme un de ses éléments fondamentaux.

On peut, d'autre part, introduire une distinction supplémentaire à l'intérieur des genres théoriques, et parler de genres *élémentaires* et *complexes*. Les premiers seraient définis par la présence ou l'absence d'un seul trait, comme chez Diomède ; les seconds, par la coexistence de plusieurs traits. Par exemple, on définirait le genre complexe « sonnet » comme réunissant les propriétés suivantes : 1. telles prescriptions sur les rimes ;

2. telles prescriptions sur le mètre ; 3. telles prescriptions sur le thème. Pareille définition présuppose une théorie du mètre, de la rime et des thèmes (autrement dit, une théorie globale de la littérature). Il devient ainsi évident que les genres historiques forment une partie des genres théoriques complexes.

II. En relevant des incohérences formelles dans les classifications de Frye, nous avons déjà été amené à une observation qui ne porte plus sur la forme logique de ses catégories mais sur leur contenu. Frye n'explicite jamais sa conception de l'œuvre (qui, nous l'avons vu, sert, qu'on le veuille ou non, de point de départ à la classification en genres) et il consacre remarquablement peu de pages à la discussion théorique de ses catégories. Occupons-nous-en à sa place.

Rappelons quelques-unes d'entre elles : supérieur-inférieur ; vraisemblable-invraisemblable ; conciliation-exclusion (par rapport à la société) ; réel-idéel ; introverti-extroverti ; intellectuel-personnel. Ce qui frappe dès l'abord, dans cette liste, c'est son arbitraire : pourquoi ces catégories-là, et non d'autres, seraient-elles les plus utiles pour décrire un texte littéraire ? On s'attend à une argumentation serrée qui prouverait cette importance ; mais d'une telle argumentation, pas trace. De plus, on ne peut pas ne pas relever un trait commun à ces catégories : leur caractère non littéraire. Elles sont toutes empruntées, nous le voyons, à la philosophie, à la psychologie ou à une éthique sociale, et d'ailleurs pas à n'importe quelle psychologie ou philosophie. Ou bien ces termes sont à prendre dans un sens particulier, proprement littéraire ; ou bien — et puisqu'on ne nous en dit rien, c'est la seule possibilité qui s'offre à nous — ils nous mènent en dehors de la littérature. Et dès lors la littérature n'est plus qu'un moyen d'exprimer des catégories philosophiques. Son autonomie s'en trouve profondément contestée — et nous voilà à nouveau en contradiction avec un des principes théoriques, énoncés précisément par Frye.

Même si ces catégories n'avaient cours qu'en littérature,

elles exigeraient une explication plus poussée. Peut-on parler du héros comme si cette notion allait de soi ? Quel est le sens précis de ce mot ? Et qu'est-ce que le vraisemblable ? Son contraire est-il seulement la propriété d'histoires où les personnages « peuvent faire n'importe quoi » (p. 51) ? Frye lui-même en donnera ailleurs une autre interprétation qui met en question ce premier sens du mot (p. 132 : « Un peintre original sait, bien entendu, que lorsque le public lui demande une fidélité à la réalité [*to an object*], il veut, en règle générale, exactement le contraire : une fidélité aux conventions picturales qui lui sont familières »).

III. Lorsqu'on serre de plus près encore les analyses de Frye, on découvre un autre postulat qui sans être formulé joue un rôle primordial dans son système. Les points que nous avons critiqués jusqu'ici peuvent facilement être aménagés, sans que le système en sorte altéré : on pourrait éviter les incohérences logiques, et trouver un fondement théorique au choix des catégories. Les conséquences du nouveau postulat sont beaucoup plus graves, car il s'agit d'une option fondamentale. Celle-là même par quoi Frye s'oppose nettement à l'attitude structuraliste, se rattachant plutôt à une tradition où l'on peut ranger les noms de Jung, Bachelard ou Gilbert Durand (si différentes que soient leurs œuvres).

Voici ce postulat : les *structures* formées par les phénomènes littéraires *se manifestent au niveau même de ceux-ci* ; autrement dit, ces structures sont directement observables. Lévi-Strauss écrit au contraire : « Le principe fondamental est que la notion de structure sociale ne se rapporte pas à la réalité empirique mais aux modèles construits d'après celle-ci » (p. 295). En simplifiant beaucoup, on pourrait dire qu'aux yeux de Frye, la forêt et la mer forment une structure élémentaire ; pour un structuraliste au contraire, ces deux phénomènes manifestent une structure abstraite, produit d'une élaboration, et qui s'articule ailleurs, disons, entre le statique et le

dynamique. On voit du même coup pourquoi des images
telles que les quatre saisons, ou les quatre parties de la journée,
ou les quatre éléments jouent un rôle si important chez Frye.
Comme il l'affirme lui-même (dans sa préface à une traduction
de Bachelard), « la terre, l'air, l'eau et le feu sont les quatre
éléments de l'expérience de l'imaginaire, et le resteront toujours » (p. VII). Tandis que la « structure » des structuralistes
est avant tout une règle abstraite, la « structure » de Frye
se réduit à une disposition dans l'espace. Frye est d'ailleurs
explicite là-dessus : « Très souvent une " structure " ou un
" système " de pensée peut être réduit à un dessin en diagramme ; en fait, les deux mots sont, dans une certaine mesure,
des synonymes de diagramme » (p. 335).

Un postulat n'a pas besoin de preuves ; mais son efficacité
peut être mesurée par les résultats auxquels on aboutit en
l'acceptant. Comme l'organisation formelle ne se laisse pas
saisir, croyons-nous, au niveau des images elles-mêmes, tout
ce qu'on pourra dire sur ces dernières restera approximatif.
On devra se contenter de probabilités, au lieu de manier des
certitudes et des impossibilités. Pour reprendre notre exemple
des plus élémentaires, la forêt et la mer *peuvent* se trouver
souvent en opposition, formant ainsi une « structure » : mais
elles ne le *doivent* pas ; tandis que le statique et le dynamique
forment obligatoirement une opposition, laquelle peut se manifester dans celle de la forêt et de la mer. Les structures littéraires sont autant de systèmes de règles rigoureuses, et ce
sont leurs manifestations seules qui obéissent à des probabilités.
Celui qui cherche les structures au niveau des images observables se refuse du même coup toute connaissance certaine.

C'est bien ce qui se produit pour Frye. Un des mots les plus
fréquents de son livre est assurément le mot *souvent*. Quelques
exemples : « This myth is *often* associated with a flood, the
regular symbol of the beginning and the end of a cycle. The
infant hero is *often* placed in an ark *or* chest floating on the
sea... On dry land the infant *may* be rescued *either* from *or* by an

animal... » (p. 198). « Its *most common* settings are the moun-tain-top, the island, the tower, the lighthouse, and the ladder or staircase » (p. 203). « He *may* also be a ghost, like Hamlet's father ; *or* it *may* not be a person at all, but simply an invi-sible force known only by its effects... *Often,* as in the revenge-tragedy, it is an event previous to the action of which the tragedy itself is the consequence » (p. 216, c'est moi qui souligne), etc.

Le postulat d'une manifestation directe des structures pro-duit un effet stérilisant dans plusieurs autres directions. Il faut d'abord remarquer que l'hypothèse de Frye ne peut aller plus loin qu'une taxinomie, une classification (suivant ses déclarations explicites). Mais, dire que les éléments d'un ensemble peuvent être classés, c'est formuler sur ces éléments l'hypothèse la plus faible qui soit.

Le livre de Frye fait sans cesse penser à un catalogue où seraient inventoriées d'innombrables images littéraires ; or, un catalogue n'est qu'un des outils de la science, non la science elle-même. On pourrait dire encore que celui qui ne fait que classer ne peut le faire bien : sa classification est arbitraire, faute de reposer sur une théorie explicite — un peu comme ces classifications du monde vivant, avant Linné, où l'on n'hésitait pas à constituer une catégorie de tous les animaux qui se grattent...

Si nous admettons, avec Frye, que la littérature est un lan-gage, nous sommes en droit d'attendre que le critique soit assez proche, dans son activité, du linguiste. Mais l'auteur de l'*Anatomy of Criticism* fait plutôt songer à ces dialectologues-lexicographes du XIXe siècle, qui parcouraient les villages à la recherche des mots rares ou inconnus. On a beau ramasser des milliers de mots, on n'atteint pas pour autant aux principes, même les plus élémentaires, du fonctionnement d'une langue. Le travail des dialectologues n'a pas été inutile, et cependant il porte à faux : car la langue n'est pas un stock de mots mais un mécanisme. Pour comprendre ce mécanisme, il suffit de partir des mots les plus courants, des phrases les plus simples. De même en critique : on peut aborder les problèmes essentiels de la théorie littéraire, sans posséder pour cela l'érudition étincelante de Northrop Frye.

Il est temps de clore cette longue digression dont l'utilité pour l'étude du genre fantastique a pu paraître problématique. Elle nous a, du moins, permis d'aboutir à quelques conclusions précises, qu'on résumera ainsi :

1. Toute théorie des genres se fonde sur une représentation de l'œuvre littéraire. Il faut donc commencer par présenter notre propre point de départ, même si le travail ultérieur nous amène à l'abandonner.

Brièvement, nous distinguerons trois aspects de l'œuvre : les aspects verbal, syntaxique, sémantique.

L'aspect verbal réside dans les phrases concrètes qui constituent le texte. On peut signaler ici deux groupes de problèmes. Les uns sont liés aux propriétés de l'énoncé (j'ai parlé ailleurs, à ce propos, des « registres de la parole » ; on peut aussi employer le terme de « style », en donnant à ce mot un sens étroit). L'autre groupe de problèmes est lié à l'énonciation, à celui qui émet le texte et à celui qui le reçoit (il s'agit dans chaque cas d'une image implicite au texte, non d'un auteur ou lecteur réels) ; on a étudié jusqu'à présent ces problèmes sous le nom de « visions » ou de « points de vue ».

Par l'aspect syntaxique, on rend compte des relations qu'entretiennent entre elles les parties de l'œuvre (on parlait naguère à ce propos de « composition »). Ces relations peuvent être de trois types : logiques, temporelles et spatiales [1].

Reste l'aspect sémantique ou, si l'on veut, les « thèmes »

---

1. Ces deux aspects, verbal et syntaxique, de l'œuvre littéraire se trouvent décrits plus longuement dans notre *Poétique*, Paris, Ed. du Seuil, coll. « Points », 1968.

du livre. Dans ce champ, nous ne posons, au départ, aucune hypothèse globale ; nous ne savons pas comment s'articulent des thèmes littéraires. On peut toutefois supposer, sans courir aucun risque, qu'il existe quelques universaux sémantiques de la littérature, des thèmes qui se rencontrent partout et toujours et qui sont peu nombreux ; leurs transformations et combinaisons produisent l'apparente multitude des thèmes littéraires.

Il va de soi que ces trois aspects de l'œuvre se manifestent dans une interrelation complexe et qu'ils ne se trouvent isolés que dans notre analyse.

2. Un choix préliminaire s'impose quant au niveau même où situer les structures littéraires. Nous avons décidé de considérer tous les éléments immédiatement observables de l'univers littéraire comme la manifestation d'une structure abstraite et décalée, produit d'une élaboration, et de chercher l'organisation à ce seul niveau. Il s'opère ici un clivage fondamental.

3. Le concept de genre doit être nuancé et qualifié. Nous avons opposé, d'une part, genres historiques et genres théoriques : les premiers sont le fruit d'une observation des faits littéraires ; les seconds sont déduits d'une théorie de la littérature. D'autre part, nous avons distingué, à l'intérieur des genres théoriques, entre genres élémentaires et complexes : les premiers se caractérisent par la présence ou l'absence d'un seul trait structural ; les seconds, par la présence ou l'absence d'une conjonction de ces traits. De toute évidence, les genres historiques sont un sous-ensemble de l'ensemble des genres théoriques complexes.

Abandonnant maintenant les analyses de Frye qui nous ont guidé jusqu'ici, nous devrions enfin, en prenant appui sur elles, formuler une vue plus générale et plus prudente des objectifs et des limites de toute étude des genres. Une telle étude doit satisfaire constamment à des exigences de deux ordres : pratiques et théoriques, empiriques et abstraites. Les genres que nous déduisons à partir de la théorie doivent être vérifiés sur les textes : si nos déductions ne correspondent à aucune œuvre, nous suivons une fausse piste. D'autre part, les genres que nous rencontrons dans l'histoire littéraire doivent être soumis à l'explication d'une théorie cohérente ; sinon, nous restons prisonniers de préjugés transmis de siècle en siècle, et selon lesquels (ceci est un exemple imaginaire) il existerait un genre tel que la comédie, quand ce serait là, en fait, pure illusion. La définition des genres sera donc un va-et-vient continuel entre la description des faits et la théorie en son abstraction.

Tels sont nos objectifs ; mais à les regarder de près, on ne peut se soustraire à un doute quant au succès de l'entreprise. Prenons la première exigence, celle de la conformité de la théorie aux faits. On a posé que les structures littéraires, donc les genres eux-mêmes, se situent à un niveau abstrait, décalé de celui des œuvres existantes. On devrait dire qu'une œuvre manifeste tel genre, non qu'il existe dans cette œuvre. Mais cette relation de manifestation entre l'abstrait et le concret est de nature probabiliste ; autrement dit, il n'y a aucune nécessité qu'une œuvre incarne fidèlement son genre, il n'y en a qu'une probabilité. Ce qui revient à dire qu'aucune observation des œuvres ne peut en rigueur confirmer ni infirmer une théorie des genres. Si l'on me dit : telle œuvre n'entre dans aucune de vos catégories, donc vos catégories sont mauvaises, je pourrai objecter : votre *donc* n'a pas de raison d'être ; les œuvres ne doivent pas coïncider avec les catégories qui n'ont qu'une existence construite ; une œuvre peut, par exemple, manifester plus d'une catégorie, plus d'un genre. Nous sommes ainsi conduits à une impasse méthodologique exemplaire : comment prouver l'échec descriptif d'une théorie des genres quelle qu'elle soit ?

Regardons maintenant de l'autre côté, celui de la conformité des genres connus à la théorie. Inscrire correctement n'est pas plus facile que décrire. Le danger est toutefois d'une nature différente : c'est que les catégories dont nous nous servirons auront toujours tendance à nous conduire hors de la littérature. Toute théorie des thèmes littéraires, par exemple (jusqu'à présent, en tout cas), tend à réduire ces thèmes à un complexe de catégories empruntées à la psychologie ou à la philosophie ou à la sociologie (Frye nous en a fourni un exemple). Même si ces catégories étaient empruntées à la linguistique, la situation ne serait pas qualitativement différente. On peut aller plus loin : du fait même que nous devons user des mots du langage quotidien, pratique, pour parler de la littérature, nous impliquons que la littérature traite d'une réalité idéelle qui se laisse encore désigner par d'autres moyens. Or, la littérature, nous le savons, existe précisément en tant qu'effort de dire ce que le langage ordinaire ne dit pas et ne peut pas dire. Pour cette raison, la critique (la meilleure) tend toujours à devenir elle-même littérature : on ne peut parler de ce que fait la littérature qu'en faisant de la littérature. C'est seulement à partir de cette différence d'avec le langage courant que la littérature peut se constituer et subsister. La littérature énonce ce qu'elle seule peut énoncer. Quand le critique aura tout dit sur un texte littéraire, il n'aura encore rien dit ; car la définition même de la littérature implique qu'on ne puisse en parler.

Ces réflexions sceptiques ne doivent pas nous arrêter ; elles nous obligent seulement à prendre conscience de limites que nous ne pouvons dépasser. Le travail de connaissance vise une vérité approximative, non une vérité absolue. Si la science descriptive prétendait dire *la* vérité, elle contredirait à sa raison d'être. Et même : une certaine forme de géographie physique n'existe plus depuis que tous les continents ont été correctement décrits. L'imperfection est, paradoxalement, une garantie de survie[1].

---

1. « Le jeu de la communication et de l'approximation est l'affaire et la force de la vie, la perfection absolue n'est que dans la mort », Fr. Schlegel, « Gespräch über die Poesie », *Critische Ausgabe*, II, p. 286.

2

Définition du fantastique

Alvare, le personnage principal du livre de Cazotte, *le Diable amoureux*, vit depuis des mois avec un être, de sexe féminin, qu'il croit être un mauvais esprit : le diable ou l'un de ses subordonnés. La façon dont cet être est apparu indique clairement qu'il est un représentant de l'autre monde ; mais son comportement spécifiquement humain (et, plus encore, féminin), les blessures réelles qu'il reçoit semblent, au contraire, prouver qu'il s'agit simplement d'une femme, et d'une femme qui aime. Lorsque Alvare lui demande d'où elle vient, Biondetta répond : « Je suis Sylphide d'origine, et une des plus considérables entre elles... » (p. 198). Mais, les Sylphides existent-elles ? « Je ne concevais rien de ce que j'entendais, continue Alvare. Mais qu'y avait-il de concevable dans mon aventure ? Tout ceci me paraît un songe, me disais-je ; mais la vie humaine est-elle autre chose ? Je rêve plus extraordinairement qu'un autre, et voilà tout. (...) Où est le possible ? Où est l'impossible ? » (p. 200-201).

Ainsi Alvare hésite, se demande (et le lecteur avec lui) si ce qui lui arrive est vrai, si ce qui l'entoure est bien réalité (et alors les Sylphides existent) ou bien s'il s'agit simplement

d'une illusion, qui ici prend la forme du rêve. Alvare est amené
plus tard à coucher avec cette même femme qui *peut-être* est
le diable ; et, effrayé par cette idée, il s'interroge à nouveau :
« Ai-je dormi ? serais-je assez heureux pour que tout n'eût été
qu'un songe ? » (p. 274). Sa mère pensera de même : « Vous
avez rêvé cette ferme et tous ses habitants » (p. 281). L'ambiguïté se maintient jusqu'à la fin de l'aventure : réalité ou rêve ?
vérité ou illusion ?

Ainsi se trouve-t-on amené au cœur du fantastique. Dans
un monde qui est bien le nôtre, celui que nous connaissons, sans
diables, sylphides, ni vampires, se produit un événement qui ne
peut s'expliquer par les lois de ce même monde familier. Celui
qui perçoit l'événement doit opter pour l'une des deux solutions
possibles : ou bien il s'agit d'une illusion des sens, d'un produit
de l'imagination et les lois du monde restent alors ce qu'elles
sont ; ou bien l'événement a véritablement eu lieu, il est partie
intégrante de la réalité, mais alors cette réalité est régie par des
lois inconnues de nous. Ou bien le diable est une illusion, un
être imaginaire ; ou bien il existe réellement, tout comme les
autres êtres vivants : avec cette réserve qu'on le rencontre rarement.

Le fantastique occupe le temps de cette incertitude ; dès
qu'on choisit l'une ou l'autre réponse, on quitte le fantastique
pour entrer dans un genre voisin, l'étrange ou le merveilleux.
Le fantastique, c'est l'hésitation éprouvée par un être qui ne
connaît que les lois naturelles, face à un événement en apparence surnaturel.

Le concept de fantastique se définit donc par rapport à ceux
de réel et d'imaginaire : et ces derniers méritent plus qu'une
simple mention. Mais nous en réservons la discussion pour le
dernier chapitre de cette étude.

Une telle définition est-elle au moins originale ? On peut la
trouver, bien que formulée différemment, dès le XIXᵉ siècle.

D'abord, chez le philosophe et mystique russe Vladimir Soloviov : « Dans le véritable fantastique, on garde toujours la possibilité extérieure et formelle d'une explication simple des phénomènes, mais en même temps cette explication est complètement privée de probabilité interne » (cité par Tomachevski, p. 288). Il y a un phénomène étrange qu'on peut expliquer de deux manières, par des types de causes naturelles et surnaturelles. La possibilité d'hésiter entre les deux crée l'effet fantastique.

Quelques années plus tard, un auteur anglais spécialisé dans les histoires de fantômes, Montague Rhodes James, reprend presque les mêmes termes : « Il est parfois nécessaire d'avoir une porte de sortie pour une explication naturelle, mais je devrais ajouter : que cette porte soit assez étroite pour qu'on ne puisse pas s'en servir » (p. VI). A nouveau donc, deux solutions sont possibles.

Voici encore un exemple allemand et plus récent : « Le héros sent continuellement et distinctement la contradiction entre les deux mondes, celui du réel et celui du fantastique, et lui-même est étonné devant les choses extraordinaires qui l'entourent » (Olga Reimann). On pourrait allonger cette liste indéfiniment. Notons toutefois une différence entre les deux premières définitions et la troisième : là, c'est au lecteur d'hésiter entre les deux possibilités, ici, au personnage ; nous y reviendrons bientôt.

Il faut remarquer encore que les définitions du fantastique qu'on trouve en France dans des écrits récents, si elles ne sont pas identiques à la nôtre, ne la contredisent pas non plus. Sans nous attarder trop, nous donnerons quelques exemples puisés dans les textes « canoniques ». Castex écrit dans *le Conte fantastique en France* : « Le fantastique... se caractérise... par une intrusion brutale du mystère dans le cadre de la vie réelle » (p. 8). Louis Vax, dans *l'Art et la Littérature fantastiques* : « Le récit fantastique... aime nous présenter, habitant le monde réel où nous sommes, des hommes comme nous, placés soudainement en présence de l'inexplicable » (p. 5). Roger Caillois, dans *Au cœur du fantastique* : « Tout le fantastique est rupture de l'ordre reconnu, irruption de l'inadmissible au sein de l'inaltérable légalité quotidienne » (p. 161). On le voit, ces trois définitions sont, intentionnellement ou non, des paraphrases l'une de l'autre : il y a chaque fois le « mystère », l' « inexplicable », l' « inadmissible », qui s'introduit dans la « vie réelle », ou le « monde réel », ou encore dans « l'inaltérable légalité quotidienne ».

Ces définitions se trouvent globalement incluses dans celle que proposaient les premiers auteurs cités et qui déjà impliquait l'existence d'événements de deux ordres, ceux du monde naturel et ceux du monde surnaturel ; mais la définition de Soloviov, James, etc., signalait en outre la possibilité de fournir deux explications de l'événement surnaturel et, par conséquent, le fait que *quelqu'un* dût choisir entre elles. Elle était donc plus suggestive, plus riche ; celle que nous avons donnée nous-même en est dérivée. Elle met de surcroît l'accent sur le caractère différentiel du fantastique (comme ligne de partage entre l'étrange et le merveilleux), au lieu d'en faire une substance (comme font Castex, Caillois, etc.). D'une manière plus générale, il faut dire qu'un genre se définit toujours par rapport aux genres qui lui sont voisins.

Mais la définition manque encore de netteté, et c'est ici que nous devons aller plus avant que nos prédécesseurs. On a noté déjà qu'il n'était pas clairement dit si c'était au lecteur ou au personnage d'hésiter ; ni quelles étaient les nuances de l'hésitation. *Le Diable amoureux* offre une matière trop pauvre pour une analyse plus poussée : l'hésitation, le doute ne nous y préoccupent qu'un instant. On fera donc appel à un autre livre, écrit quelque vingt ans plus tard, et qui nous permettra de poser davantage de questions ; un livre qui inaugure magistralement l'époque du récit fantastique : le *Manuscrit trouvé à Saragosse* de Jan Potocki.

Une série d'événements nous est d'abord relatée, dont aucun

pris isolément ne contredit aux lois de la nature telles que l'expérience nous a appris à les connaître ; mais leur accumulation déjà fait problème. Alphonse van Worden, héros et narrateur du livre, traverse les montagnes de la Sierra Morena. Soudain, son « zagal » Moschito disparaît ; quelques heures plus tard, disparaît aussi le valet Lopez. Les habitants du pays affirment que la région est hantée par des revenants : deux bandits, récemment pendus. Alphonse arrive à une auberge abandonnée et se dispose à dormir ; mais au premier coup de minuit, « une belle négresse demi-nue, et tenant un flambeau dans chaque main » (p. 56) entre dans sa chambre et l'invite à la suivre. Elle le mène jusqu'à une salle souterraine où le reçoivent deux jeunes sœurs, belles et légèrement vêtues. Elles lui offrent à manger, à boire. Alphonse éprouve des sensations étranges et un doute naît en son esprit : « Je ne savais plus si j'étais avec des femmes ou avec d'insidieux succubes » (p. 58). Elles lui racontent ensuite leur vie et se découvrent comme étant ses propres cousines. Mais au premier chant du coq, le récit est interrompu ; et Alphonse se souvient que « comme l'on sait, les revenants n'ont de pouvoir que depuis minuit jusqu'au premier chant du coq » (p. 55).

Tout cela, bien entendu, ne sort pas proprement des lois de la nature telles qu'on les connaît. Tout au plus peut-on dire que ce sont des événements étranges, des coïncidences insolites. Le pas suivant est, lui, décisif : un événement se produit que la raison ne peut plus expliquer. Alphonse se met au lit, les deux sœurs le rejoignent (ou peut-être le rêve-t-il seulement), mais une chose est sûre : quand il se réveille, il n'est plus dans un lit, il n'est plus dans une salle souterraine. « Je vis le ciel. Je vis que j'étais en plein air. (...) J'étais couché sous le gibet de Los Hermanos. Les cadavres des deux frères de Zoto n'étaient point pendus, ils étaient couchés à mes côtés » (p. 68). Voici donc un premier événement surnaturel : deux belles filles sont devenues deux cadavres puants.

Alphonse n'est pas pour autant encore convaincu de l'exis-

tence de forces surnaturelles : ce qui aurait supprimé toute hésitation (et mis fin au fantastique). Il cherche un endroit où loger
le soir et arrive devant la cabane d'un ermite ; il y rencontre
un possédé, Paschéco, qui raconte son histoire, mais une histoire
qui ressemble étrangement à celle d'Alphonse. Paschéco a couché une nuit à la même auberge ; il est descendu jusqu'en une
salle souterraine et a passé la nuit dans un lit avec deux sœurs ;
le lendemain matin, il s'est réveillé sous le gibet, entre deux
cadavres. Cette similitude met Alphonse sur ses gardes. Aussi
expose-t-il plus tard à l'ermite qu'il ne croit pas aux revenants, et donne-t-il une explication naturelle des malheurs de
Paschéco. Il interprète de même ses propres aventures : « Je
ne doutais pas que mes cousines étaient des femmes en chair
et en os. J'en étais averti par je ne sais quel sentiment, plus fort
que tout ce qu'on m'avait dit sur la puissance des démons.
Quant au tour qu'on m'avait joué de me mettre sous la potence,
j'en étais fort indigné » (p. 98-99).

Soit. Mais des événements nouveaux vont raviver les doutes
d'Alphonse. Il retrouve ses cousines dans une grotte ; et un
soir, elles viennent jusque dans son lit. Elles sont prêtes à enlever leurs ceintures de chasteté : mais il faut pour cela
qu'Alphonse lui-même se dépouille d'une relique chrétienne
qu'il garde autour du cou ; à la place de celle-ci, une des sœurs
met une tresse de ses cheveux. A peine les premiers transports
d'amour se sont-ils apaisés, qu'on entend le premier coup
de minuit... Un homme entre dans la chambre, chasse les
sœurs et menace Alphonse de mort ; il l'oblige ensuite à boire
un breuvage. Le lendemain matin, Alphonse se réveille, comme
on pense bien, sous le gibet, à côté des cadavres ; autour de son
cou, il n'y a plus la tresse de cheveux mais une corde de pendu.
En repassant par l'auberge de la première nuit, il découvre
subitement, entre les ais du plancher, la relique qu'on lui avait
enlevée dans la grotte. « Je ne savais plus ce que je faisais...
Je me mis à imaginer que je n'étais réellement pas sorti de ce
malheureux cabaret, et que l'ermite, l'inquisiteur [cf. plus bas]

et les frères de Zoto étaient autant de fantômes produits par des fascinations magiques » (p. 142-143). Comme pour faire pencher encore la balance, il rencontre bientôt Pascheco, qu'il avait entrevu pendant sa dernière aventure nocturne, et qui lui donne de la scène une tout autre version : « Ces deux jeunes personnes, après lui avoir fait quelques caresses, ôtèrent de son cou une relique qui y était et, dès ce moment, elles perdirent leur beauté à mes yeux, et je reconnus en elles les deux pendus de la vallée de Los Hermanos. Mais le jeune cavalier, les prenant toujours pour des personnes charmantes, leur prodigua les noms les plus tendres. Alors l'un des pendus ôta la corde qu'il avait à son cou et la mit au cou du cavalier, qui lui en témoigna sa reconnaissance par de nouvelles caresses. Enfin ils fermèrent leur rideau et je ne sais ce qu'ils firent alors, mais je pense que c'était quelque affreux péché » (p. 145).

Que croire ? Alphonse sait bien qu'il a passé la nuit avec deux femmes aimantes ; mais le réveil sous le gibet, mais la corde autour de son cou, mais la relique dans l'auberge, mais le récit de Pascheco ? L'incertitude, l'hésitation sont à leur point culminant. Renforcées par le fait que d'autres personnages suggèrent à Alphonse une explication surnaturelle des aventures. Ainsi l'inquisiteur qui, à un moment donné, arrêtera Alphonse et le menacera de tortures, lui demande : « Connais-tu deux princesses de Tunis ? Ou plutôt deux infâmes sorcières, vampires exécrables et démons incarnés ? » (p. 100). Et plus tard Rebecca, l'hôtesse d'Alphonse, lui dira : « Nous savons que ce sont deux démons femelles et que leurs noms sont Emina et Zibeddé » (p. 159).

Resté seul pendant quelques jours, Alphonse sent encore une fois les forces de la raison lui revenir. Il veut trouver aux événements une explication « réaliste ». « Je me rappelai alors quelques mots échappés à Don Emmanuel de Sa, gouverneur de cette ville, qui me firent penser qu'il n'était pas tout à fait étranger à la mystérieuse existence des Gomélez. C'était lui qui m'avait donné mes deux valets, Lopez et Moschito. Je me

mis dans la tête que c'était par son ordre qu'ils m'avaient quitté
à l'entrée désastreuse de Los Hermanos. Mes cousines, et
Rebecca elle-même, m'avaient souvent fait entendre que l'on
voulait m'éprouver. Peut-être m'avait-on donné, à la venta, un
breuvage pour m'endormir, et ensuite rien n'était plus aisé que
de me transporter pendant mon sommeil sous le fatal gibet.
Paschéco pouvait avoir perdu un œil par un tout autre accident
que par sa liaison amoureuse avec les deux pendus, et son
effroyable histoire pouvait être un conte. L'ermite qui avait
cherché toujours à surprendre mon secret, était sans doute un
agent des Gomélez, qui voulait éprouver ma discrétion. Enfin
Rebecca, son frère, Zoto et le chef des Bohémiens, tous ces
gens-là s'entendaient peut-être pour éprouver mon courage »
(p. 227).

Le débat n'est pas résolu pour autant : de menus incidents
vont faire à nouveau marcher Alphonse vers la solution surnaturelle. Il voit par la fenêtre deux femmes qui lui semblent être
les fameuses sœurs ; mais quand il s'en approche, il découvre
des visages inconnus. Il lit ensuite une histoire de diable qui ressemble tant à la sienne qu'il avoue : « J'en vins presque à croire
que des démons avaient, pour me tromper, animé des corps de
pendus » (p. 173).

« J'en vins presque à croire » : voilà la formule qui résume
l'esprit du fantastique. La foi absolue comme l'incrédulité
totale nous mèneraient hors du fantastique ; c'est l'hésitation
qui lui donne vie.

Qui hésite dans cette histoire ? On le voit tout de suite :
c'est Alphonse, c'est-à-dire le héros, le personnage. C'est lui
qui, tout au long de l'intrigue, aura à choisir entre deux interprétations. Mais si le lecteur était prévenu de la « vérité », s'il savait
dans quel sens il faut trancher, la situation serait toute différente. Le fantastique implique donc une intégration du lecteur
au monde des personnages ; il se définit par la perception

ambiguë qu'a le lecteur même des événements rapportés. Il faut préciser aussitôt que, parlant ainsi, nous avons en vue non tel ou tel lecteur particulier, réel, mais une « fonction » de lecteur, implicite au texte (de même qu'y est implicite la fonction du narrateur). La perception de ce lecteur implicite est inscrite dans le texte, avec la même précision que le sont les mouvements des personnages.

L'hésitation du lecteur est donc la première condition du fantastique. Mais est-il nécessaire que le lecteur s'identifie à un personnage particulier, comme dans *le Diable amoureux* et dans le *Manuscrit* ? autrement dit, est-il nécessaire que l'hésitation soit *représentée* à l'intérieur de l'œuvre ? La plupart des ouvrages qui remplissent la première condition satisfont également à la seconde ; il existe toutefois des exceptions : ainsi dans *Véra*, de Villiers de l'Isle-Adam. Le lecteur s'interroge ici sur la résurrection de la femme du comte, phénomène qui contredit aux lois de la nature, mais semble confirmé par une série d'indices secondaires. Or, aucun des personnages ne partage cette hésitation : ni le comte d'Athol, qui croit fermement à la seconde vie de Véra, ni même le vieux serviteur Raymond. Le lecteur ne s'identifie donc à aucun personnage, et l'hésitation n'est pas représentée dans le texte. Nous dirons qu'il s'agit, avec cette règle de l'identification, d'une condition facultative du fantastique : il peut exister sans la satisfaire ; mais la plupart des œuvres fantastiques s'y soumettent.

Lorsque le lecteur sort du monde des personnages et revient à sa pratique propre (celle d'un lecteur), un nouveau danger menace le fantastique. Danger qui se situe au niveau de l'*interprétation* du texte.

Il existe des récits qui contiennent des éléments surnaturels sans que le lecteur s'interroge jamais sur leur nature, sachant bien qu'il ne doit pas les prendre à la lettre. Si des animaux parlent, aucun doute ne nous vient : nous savons que les mots du texte sont à prendre dans un sens autre, que l'on appelle allégorique.

La situation inverse s'observe pour la poésie. Le texte poétique pourrait souvent être jugé fantastique, si seulement l'on demandait à la poésie d'être représentative. Mais la question ne se pose pas : s'il est dit, par exemple, que le « je poétique » s'envole dans les airs, ce n'est qu'une séquence verbale, à prendre comme telle, sans essayer d'aller au-delà des mots.

Le fantastique implique donc non seulement l'existence d'un événement étrange, qui provoque une hésitation chez le lecteur et le héros ; mais aussi une manière de lire, qu'on peut pour l'instant définir négativement : elle ne doit être ni « poétique » ni « allégorique ». Si l'on revient au *Manuscrit*, on voit que cette exigence y est également remplie : d'une part, rien ne nous permet de donner immédiatement une interprétation allégorique aux événements surnaturels évoqués ; de l'autre, ces événements sont bien donnés comme tels, nous devons nous les représenter, et non pas considérer les mots qui les désignent comme une combinaison d'unités linguistiques, exclusivement. On peut relever dans cette phrase de Roger Caillois une indication quant à cette propriété du texte fantastique : « Cette sorte d'images se situe au cœur même du fantastique, à mi-chemin entre ce qu'il m'est arrivé de nommer des images infinies et des images entravées... Les premières recherchent par principe l'incohérence et refusent de parti pris toute signification. Les secondes traduisent des textes précis en symboles dont un dictionnaire approprié permet la reconversion terme à terme en discours correspondants » (p. 172).

Nous sommes maintenant en état de préciser et de compléter notre définition du fantastique. Celui-ci exige que trois conditions soient remplies. D'abord, il faut que le texte oblige le lecteur à considérer le monde des personnages comme un monde de personnes vivantes et à hésiter entre une explication naturelle et une explication surnaturelle des événements évoqués. Ensuite, cette hésitation peut être ressentie également par un personnage ; ainsi le rôle de lecteur est pour ainsi dire confié à un personnage et dans le même temps l'hésitation se trouve représentée, elle devient un des thèmes de l'œuvre ; dans le cas d'une lecture naïve, le lecteur réel s'identifie avec le personnage. Enfin il importe que le lecteur adopte une certaine attitude à l'égard du texte : il refusera aussi bien l'interprétation allégorique que l'interprétation « poétique ». Ces trois exigences n'ont pas une valeur égale. La première et la troisième constituent véritablement le genre ; la seconde peut ne pas être satisfaite. Toutefois, la plupart des exemples remplissent les trois conditions.

Comment ces trois caractéristiques s'inscrivent-elles dans le modèle de l'œuvre, tel que nous l'avons exposé en bref au chapitre précédent ? La première condition nous renvoie à l'aspect *verbal* du texte, plus exactement, à ce qu'on appelle les « visions » : le fantastique est un cas particulier de la catégorie plus générale de la « vision ambiguë ». La seconde condition est plus complexe : elle se rattache d'une part à l'aspect *syntaxique*, dans la mesure où elle implique l'existence d'un type formel d'unités qui se réfèrent à l'appréciation portée par les personnages sur les événements du récit ; on pourrait appeler ces unités les « réactions », par opposition aux « actions » qui forment habituellement la trame de l'histoire. D'autre part, elle se réfère à l'aspect *sémantique*, puisqu'il s'agit d'un thème représenté, celui de la perception et de sa notation. Enfin, la troisième condition a un caractère plus général et transcende la division en aspects : il s'agit d'un choix entre plusieurs modes (et niveaux) de lecture.

On peut tenir maintenant notre définition comme suffisamment explicite. Pour la justifier pleinement, comparons-la à nouveau à quelques autres définitions, cette fois, des définitions avec lesquelles il y aura lieu de voir non plus en quoi elle leur ressemble mais en quoi elle s'en sépare. D'un point de vue systématique, on peut partir de plusieurs sens du mot « fantastique ».

Prenons d'abord le sens qui, bien que rarement énoncé, vient le premier à l'esprit (c'est celui du dictionnaire) : dans

les textes fantastiques, l'auteur rapporte des événements qui ne
sont pas susceptibles d'advenir dans la vie, si l'on s'en tient
aux connaissances communes de chaque époque touchant ce
qui peut ou ne peut pas arriver ; ainsi dans le *Petit Larousse* :
« où il entre des êtres surnaturels : *contes fantastiques*. » On
peut en effet qualifier de *surnaturels* les événements ; mais le
surnaturel, tout en étant une catégorie littéraire, n'est pas per-
tinent ici. On ne peut concevoir un genre qui regrouperait toutes
les œuvres où intervient le surnaturel et qui, de ce fait, devrait
accueillir aussi bien Homère que Shakespeare, Cervantès que
Gœthe. Le surnaturel ne caractérise pas les œuvres d'assez
près, son extension est beaucoup trop grande.

Un autre parti, beaucoup plus répandu parmi les théoriciens,
consiste à se placer, pour situer le fantastique, dans le lecteur :
non le lecteur implicite au texte, mais le lecteur réel. On prendra
comme représentant de cette tendance H. P. Lovecraft, auteur
lui-même d'histoires fantastiques et qui a consacré au surnaturel
en littérature un ouvrage théorique. Pour Lovecraft, le critère
du fantastique ne se situe pas dans l'œuvre mais dans l'expérience particulière du lecteur ; et cette expérience doit être la
peur. « L'atmosphère est la chose la plus importante car le critère définitif d'authenticité [du fantastique] n'est pas la structure de l'intrigue mais la création d'une impression spécifique. (...) C'est pourquoi nous devons juger le conte fantastique
non pas tant sur les intentions de l'auteur et les mécanismes de
l'intrigue, mais en fonction de l'intensité émotionnelle qu'il
provoque. (...) Un conte est fantastique tout simplement si
le lecteur ressent profondément un sentiment de crainte et de
terreur, la présence de mondes et de puissances insolites »
(p. 16). Ce sentiment de peur ou de perplexité est souvent invo-
qué par les théoriciens du fantastique, même si la double explication possible reste à leurs yeux la condition nécessaire du
genre. Ainsi Peter Penzoldt écrit : « A l'exception du conte de
fées, toutes les histoires surnaturelles sont des histoires de peur,
qui nous obligent à nous demander si ce qu'on croit être pure

imagination n'est pas, après tout, réalité » (p. 9). Caillois, lui aussi, propose comme « pierre de touche du fantastique », « l'impression d'étrangeté irréductible » (p. 30).

Il est surprenant de trouver, aujourd'hui encore, de tels jugements sous la plume de critiques sérieux. Si l'on prend leurs déclarations à la lettre, et que le sentiment de peur doive être trouvé chez le lecteur, il faudrait en déduire (est-ce là la pensée de nos auteurs ?) que le genre d'une œuvre dépend du sang-froid de son lecteur. Chercher le sentiment de peur dans les personnages ne permet pas davantage de cerner le genre ; d'abord, les contes de fées peuvent êtres des histoires de peur : ainsi les contes de Perrault (contrairement à ce qu'en dit Penzoldt) ; d'autre part, il est des récits fantastiques dont toute peur est absente : pensons à des textes aussi différents que *la Princesse Brambilla* de Hoffmann et *Véra* de Villiers de l'Isle-Adam. La peur est souvent liée au fantastique mais elle n'en est pas une condition nécessaire.

Si étrange que cela paraisse, on a cherché également à situer le critère du fantastique chez l'auteur même du récit. Nous en trouvons des exemples à nouveau chez Caillois qui, décidément, n'a pas peur des contradictions. Voici comment Caillois fait revivre l'image romantique du poète inspiré : « Il faut au fantastique quelque chose d'involontaire, de subi, une interrogation inquiète non moins qu'inquiétante, surgie à l'improviste d'on ne sait quelles ténèbres, que son auteur fut obligé de prendre comme elle est venue... » (p. 46) ; ou encore : « Une fois de plus, le fantastique qui ne dérive pas d'une intention délibérée de déconcerter mais qui semble sourdre malgré l'auteur de l'ouvrage, sinon à son insu, se révèle à l'épreuve le plus persuasif » (p. 169). Les arguments contre cette « intentional fallacy » sont aujourd'hui trop connus pour qu'on les formule à nouveau.

Moins d'attention encore méritent d'autres essais de définition, qui souvent s'appliquent à des textes qui ne sont pas du tout fantastiques. Ainsi, il n'est pas possible de définir le fantastique comme opposé à la reproduction fidèle de la réalité, au naturalisme. Ni comme le fait Marcel Schneider dans *la Littérature fantastique en France* : « Le fantastique explore l'espace du dedans ; il a partie liée avec l'imagination, l'angoisse de vivre et l'espoir du salut » (p. 148-149).

Le *Manuscrit trouvé à Saragosse* nous a fourni un exemple d'hésitation entre le réel et (disons) l'*illusoire* : on se demandait si ce qu'on voyait n'était pas supercherie, ou erreur de la perception. Autrement dit, on doutait de l'interprétation à donner à des événements perceptibles. Il existe une autre variété du fantastique où l'hésitation se situe entre le réel et l'*imaginaire*. Dans le premier cas, on doutait non que les événements fussent arrivés, mais que notre compréhension en ait été exacte. Dans le second, on se demande si ce qu'on croit percevoir n'est pas en fait un fruit de l'imagination. « Je discerne avec peine ce que je vois avec les yeux de la réalité de ce que voit mon imagination », dit un personnage d'Achim d'Arnim (p. 222). Cette « erreur » peut se produire pour plusieurs raisons que nous examinerons plus loin ; donnons-en ici un exemple caractéristique, où elle est imputée à la folie : *la Princesse Brambilla* de Hoffmann.

Des événements étranges et incompréhensibles surviennent dans la vie du pauvre acteur Giglio Fava pendant le carnaval de Rome. Il croit devenir un prince, tomber amoureux d'une princesse et courir des aventures incroyables. Or, la plupart de ceux qui l'entourent lui assurent qu'il n'en est rien mais que lui, Giglio, est devenu fou. C'est ce que prétend signor Pasquale : « Signor Giglio, je sais ce qui vous est arrivé ; Rome entière le sait, vous avez été forcé de quitter le théâtre parce que votre cerveau s'est dérangé... » (t. III, p. 27). Parfois Giglio lui-même doute de sa raison : « Il était même prêt à penser que signor Pasquale et maître Bescapi avaient eu raison de le croire un peu timbré » (p. 42). Ainsi Giglio (et le lecteur implicite) est-il maintenu dans le doute, ignorant si ce qui l'entoure est ou non le fait de son imagination.

A ce procédé, simple et très fréquent, on peut en opposer un autre qui paraît être, lui, beaucoup plus rare, et où la folie est à nouveau utilisée — mais d'une manière différente — pour créer l'ambiguïté nécessaire. Nous pensons à l'*Aurélia* de Nerval. Ce livre fait, on le sait, le récit des visions qu'a eues un personnage pendant une période de folie. Le récit est mené à la première personne ; mais le *je* recouvre apparemment deux personnes distinctes : celle du personnage qui perçoit des mondes inconnus (il vit dans le passé), et celle du narrateur qui transcrit les impressions du premier (et vit, lui, dans le présent). A première vue, le fantastique n'existe pas ici : ni pour le personnage qui ne considère pas ses visions comme dues à la folie mais comme une image plus lucide du monde (il est donc dans le merveilleux) ; ni pour le narrateur, qui sait qu'elles relèvent de la folie ou du rêve, non de la réalité (de son point de vue, le récit se rattache simplement à l'étrange). Mais le texte ne fonctionne pas ainsi ; Nerval recrée l'ambiguïté à un autre niveau, là où on ne l'attendait pas ; et *Aurélia* reste une histoire fantastique.

D'abord, le personnage n'est pas tout à fait décidé quant à l'interprétation à donner aux faits : il croit parfois, lui aussi, à sa folie mais ne va jamais jusqu'à la certitude. « Je compris, en me voyant parmi les aliénés, que tout n'avait été pour moi qu'illusions jusque-là. Toutefois les promesses que j'attribuais à la déesse Isis me semblaient se réaliser par une série d'épreuves que j'étais destiné à subir » (p. 301). Dans le même temps, le narrateur n'est pas sûr que tout ce que le personnage a vécu relève de l'illusion ; il insiste même sur la vérité de certains faits rapportés : « Je m'informais au-dehors, personne n'avait rien entendu. — Et cependant je suis encore certain que le cri était réel et que l'air des vivants en avait retenti... » (p. 281).

L'ambiguïté tient aussi à l'emploi de deux procédés d'écriture qui pénètrent le texte entier.

Nerval les utilise habituellement ensemble ; ils s'appellent : l'imparfait et la modalisation. Cette dernière consiste, rappe-

longue
l'incertitude

lons-le, à user de certaines locutions introductives qui, sans changer le sens de la phrase, modifient la relation entre le sujet de l'énonciation et l'énoncé. Par exemple, les deux phrases « Il pleut dehors » et « Peut-être qu'il pleut dehors » se réfèrent au même fait ; mais la seconde indique en outre l'incertitude où se trouve le sujet qui parle, quant à la vérité de la phrase qu'il énonce. L'imparfait a un sens semblable : si je dis « J'aimais Aurélia », je ne précise pas si je l'aime encore maintenant ou non ; la continuité est possible, mais en règle générale peu probable.

Or, tout le texte d'*Aurélia* est imprégné de ces deux procédés. On pourrait citer des pages entières à l'appui de notre affirmation. Voici quelques exemples pris au hasard : « *Il me semblait que* je rentrais dans une demeure connue... Une vieille servante que j'appelais Marguerite et *qu'il me semblait* connaître depuis l'enfance me dit... Et *j'avais l'idée que* l'âme de mon aïeul était dans cet oiseau... *Je crus* tomber dans un abîme qui traversait le globe. *Je me sentais* emporté sans souffrance par un courant de métal fondu... *J'eus le sentiment* que ces courants étaient composés d'âmes vivantes, à l'état moléculaire... *Il devenait clair pour moi* que les aïeux prenaient la forme de certains animaux pour nous visiter sur la terre... », (p. 259-260, c'est moi qui souligne) etc. Si ces locutions étaient absentes, nous serions plongés dans le monde du merveilleux, sans aucune référence à la réalité quotidienne, habituelle ; par elles, nous sommes maintenus dans les deux mondes à la fois. L'imparfait, de plus, introduit une distance entre le personnage et le narrateur, de telle sorte que nous ne connaissons pas la position de ce dernier.

Par une série d'incises, le narrateur prend distance par rapport aux autres hommes, à l' « homme normal », ou, plus exactement, à l'emploi courant de certains mots (en un sens, le langage est le thème principal d'*Aurélia*). « En recouvrant ce que les hommes appellent la raison », écrit-il quelque part. Et ailleurs : « Mais il paraît que c'était une illusion de ma vue »

(p. 265). Ou encore : « Mes actions, insensées en apparence,
étaient soumises à ce que l'on appelle illusion, selon la raison
humaine » (p. 256). Admirons cette phrase : les actions sont
« insensées » (référence au naturel) mais seulement « en
apparence » (référence au surnaturel) ; elles sont soumises... à
l'illusion (référence au naturel), ou plutôt non, « à ce que l'on
appelle illusion » (référence au surnaturel) ; de plus l'imparfait
signifie que ce n'est pas le narrateur présent qui pense ainsi,
mais le personnage de jadis. Et encore cette phrase, résumé de
toute l'ambiguïté d'*Aurélia* : « Une série de visions insensées
peut-être » (p. 257). — Le narrateur prend ainsi ses distances
par rapport à l'homme « normal » et se rapproche du personnage : la certitude qu'il s'agit de folie fait place au doute, du
même coup.

Or, le narrateur ira plus loin : il reprendra ouvertement
la thèse du personnage, à savoir que folie et rêve ne sont qu'une
raison supérieure. Voici ce qu'en disait le personnage (p. 266) :
« Les récits de ceux qui m'avaient vu ainsi me causaient une
sorte d'irritation quand je voyais qu'on attribuait à l'aberra-
tion d'esprit les mouvements ou les paroles coïncidant avec
les diverses phases de ce qui constituait pour moi une série
d'événements logiques » (à quoi répond la phrase d'Edgar
Poe : « La science ne nous a pas encore appris si la folie est
ou n'est pas le sublime de l'intelligence », H.G.S., p. 95). Et
encore : « Avec cette idée que je m'étais faite sur le rêve
comme ouvrant à l'homme une communication avec le monde
des esprits, j'espérais... » (p. 290). Mais voici comment parle
le narrateur : « Je vais essayer... de transcrire les impressions
d'une longue maladie qui s'est passée tout entière dans les mystères de mon esprit ; — et je ne sais pourquoi je me sers de ce
terme maladie, car jamais, quant à ce qui est de moi-même,
je ne me suis senti mieux portant. Parfois je croyais ma force
et mon activité doublées ; l'imagination m'apportait des délices
infinies » (p. 251-252). Ou encore : « Quoi qu'il en soit, je
crois que l'imagination humaine n'a rien inventé qui ne soit

vrai, dans ce monde ou dans les autres [1], et je ne pouvais douter de ce que j'avais *vu* si distinctement » (p. 276).

Dans ces deux extraits, le narrateur semble déclarer ouvertement que ce qu'il a vu pendant sa prétendue folie n'est qu'une partie de la réalité ; qu'il n'a donc jamais été malade. Mais si chacun des passages commence au présent, la dernière proposition est à nouveau à l'imparfait ; elle réintroduit l'ambiguïté dans la perception du lecteur. L'exemple inverse se trouve aux dernières phrases d'*Aurélia* : « Je pouvais juger plus sainement le monde d'illusions où j'avais quelque temps vécu. Toutefois je me sens heureux des convictions que j'ai acquises... » (p. 315). La première proposition semble renvoyer tout ce qui précède dans le monde de la folie ; mais alors, pourquoi ce bonheur des convictions acquises ?

Aurélia constitue donc un exemple original et parfait de l'ambiguïté fantastique. Cette ambiguïté tourne bien autour de la folie ; mais alors que, chez Hoffmann, on se demandait si le personnage était ou non fou, ici on sait d'avance que son comportement s'appelle folie ; ce qu'il s'agit de savoir (et c'est sur ce point que porte l'hésitation), c'est si la folie n'est pas en fait une raison supérieure. L'hésitation concernait tout à l'heure la perception, elle concerne à présent le langage ; avec Hoffmann, on hésite sur le nom à donner à certains événements ; avec Nerval, l'hésitation se reporte à l'intérieur du nom : sur son sens.

---

1. Echo, peut-être, de cette phrase de Poe : « L'esprit humain ne peut *imaginer* rien de ce qui n'a réellement existé » (« Fancy and Imagination », *Poems and Essays*, p. 282).

3

L'étrange et le merveilleux

Le fantastique, nous l'avons vu, ne dure que le temps d'une hésitation : hésitation commune au lecteur et au personnage, qui doivent décider si ce qu'ils perçoivent relève ou non de la « réalité », telle qu'elle existe pour l'opinion commune. A la fin de l'histoire, le lecteur, sinon le personnage, prend toutefois une décision, il opte pour l'une ou l'autre solution, et par là même sort du fantastique. S'il décide que les lois de la réalité demeurent intactes et permettent d'expliquer les phénomènes décrits, nous disons que l'œuvre relève d'un autre genre : l'étrange. Si, au contraire, il décide qu'on doit admettre de nouvelles lois de la nature, par lesquelles le phénomène peut être expliqué, nous entrons dans le genre du merveilleux.

Le fantastique mène donc une vie pleine de dangers, et peut s'évanouir à tout instant. Il paraît se placer plutôt à la limite de deux genres, le merveilleux et l'étrange, qu'être un genre autonome. Une des grandes périodes de la littérature surnaturelle, celle du roman noir (*the Gothic novel*) semble en apporter la confirmation. En effet, on distingue généralement, à l'intérieur du roman noir, deux tendances : celle du surnaturel expliqué (de l' « étrange », pourrions-nous dire), tel qu'il apparaît dans les romans de Clara Reeves et d'Ann Radcliffe ; et celle du surnaturel accepté (ou du « merveilleux »), qui regroupe les œuvres de Horace Walpole, de M. G. Lewis et de Mathurin. Il n'y a pas là le fantastique proprement dit : seulement des genres qui lui sont voisins. Plus exactement, l'effet fantastique se produit bien mais pendant une partie de la lecture seulement : chez Ann Radcliffe, avant que nous soyons sûrs que tout ce qui est arrivé peut recevoir une explication rationnelle ; chez Lewis, avant que nous soyons persuadés que les événements surnaturels ne recevront aucune explication. Une fois le livre achevé, nous comprenons — dans les deux cas — qu'il n'y a pas eu fantastique.

On peut se demander jusqu'à quel point tient une définition de genre qui laisserait l'œuvre « changer de genre » du fait d'une simple phrase comme : « A ce moment, il se réveilla et vit les murs de sa chambre... » Mais, d'abord, rien ne nous empêche de considérer le fantastique précisément comme un genre toujours évanescent. Une telle catégorie n'aurait d'ailleurs rien d'exceptionnel. La définition classique du *présent*, par exemple, nous le décrit comme une pure limite entre le passé et le futur. La comparaison n'est pas gratuite : le merveilleux correspond à un phénomène inconnu, encore jamais vu, à venir : donc à un futur ; dans l'étrange, en revanche, on ramène l'inexplicable à des faits connus, à une expérience préalable, et par là au passé. Quant au fantastique lui-même, l'hésitation qui le caractérise ne peut, de toute évidence, se situer qu'au présent.

Se pose également ici le problème de l'unité de l'œuvre. Nous prenons cette unité comme allant de soi et nous crions au sacrilège dès qu'on pratique des coupures dans une œuvre (selon la technique du *Reader's Digest*). Mais les choses sont sans doute plus complexes ; n'oublions pas qu'à l'école, où a lieu pour chacun la première expérience de la littérature, et l'une des plus marquantes, on ne lit des œuvres que des « morceaux choisis » ou des « extraits ». Un certain fétichisme du livre reste vivant de nos jours : l'œuvre se transforme à la fois en objet précieux et immobile, et en symbole de plénitude, la coupure devenant un équivalent de la castration. Combien plus libre était l'attitude d'un Khlebnikov qui composait des poèmes avec des morceaux de poèmes précédents ou qui incitait les rédacteurs et même les imprimeurs à corriger son texte ! Seule l'identification du livre au sujet explique l'horreur de la coupure.

Dès l'instant où l'on examine isolément des parties de l'œuvre, on peut mettre provisoirement entre parenthèses la fin du récit : ce qui nous permettrait de rattacher au fantastique un beaucoup plus grand nombre de textes. L'édition actuellement courante du *Manuscrit trouvé à Saragosse* en fournit une bonne preuve : privé de sa fin, où l'hésitation est tranchée, le livre relève pleinement du fantastique. Charles Nodier, un des pionniers du fantastique en France, avait pleinement conscience de ce fait et il en traite dans une de ses nouvelles, *Inès de las Sierras*. Ce texte est composé de deux parties sensiblement égales ; et la fin de la première nous laisse en pleine perplexité : nous ne savons comment expliquer les phénomènes étranges qui surviennent ; toutefois, nous ne sommes pas prêts non plus à admettre le surnaturel aussi aisément que le naturel. Le narrateur hésite alors entre deux conduites : interrompre là son récit (et rester dans le fantastique) ou poursuivre (et donc le quitter). Pour lui, il déclare à ses auditeurs qu'il préfère s'arrêter, se justifiant ainsi : « Tout autre dénouement serait vicieux dans mon récit car il en changerait la nature » (p. 697).

Il serait faux cependant de prétendre que le fantastique ne peut exister qu'en une partie de l'œuvre. Il est des textes qui maintiennent l'ambiguïté jusqu'à la fin, ce qui veut dire aussi : au-delà. Le livre refermé, l'ambiguïté demeurera. Un exemple remarquable est ici fourni par le roman de Henry James, *le Tour d'écrou* : le texte ne nous permettra pas de décider si des fantômes hantent la vieille propriété, ou s'il s'agit des hallucinations de l'institutrice, victime du climat inquiétant qui l'entoure. Dans la littérature française, la nouvelle de Prosper Mérimée, *la Vénus d'Ille*, offre un exemple parfait de cette ambiguïté. Une statue semble s'animer et tuer un nouveau marié ; mais nous en restons au « semble » et n'atteignons jamais à la certitude.

Quoi qu'il en soit, on ne peut exclure d'un examen du fantastique le merveilleux et l'étrange, genres avec lesquels il se chevauche. Mais n'oublions pas non plus que, comme le dit Louis Vax, « l'art fantastique idéal sait se maintenir dans l'indécision » (p. 98).

Regardons donc d'un peu plus près ces deux voisins. Et remarquons que dans chacun des cas, un sous-genre transitoire surgit : entre le fantastique et l'étrange, d'une part, le fantastique et le merveilleux, d'autre part. Ces sous-genres comprennent les œuvres qui maintiennent longtemps l'hésitation fantastique, mais s'achèvent enfin dans le merveilleux ou dans l'étrange. On pourrait figurer ces subdivisions à l'aide du diagramme suivant :

étrange pur	fantastique-étrange	fantastique-merveilleux	merveilleux pur

Le fantastique pur serait représenté, dans le dessin, par la ligne médiane, celle qui sépare le fantastique-étrange du fantastique-merveilleux ; cette ligne correspond bien à la nature du fantastique, frontière entre deux domaines voisins.

Commençons par le fantastique-étrange. Des événements qui paraissent surnaturels tout au long de l'histoire, y reçoivent à la fin une explication rationnelle. Si ces événements ont longtemps conduit le personnage et le lecteur à croire à l'intervention du surnaturel, c'est qu'ils avaient un caractère insolite. La critique a décrit (et souvent condamné) cette variété sous le nom de « surnaturel expliqué ».

On donnera comme exemple du fantastique-étrange le même *Manuscrit trouvé à Saragosse*. Tous les miracles y sont rationnellement expliqués en fin de récit. Alphonse rencontre dans une grotte l'ermite qui l'avait accueilli au début, et qui est le grand scheikh des Gomélez lui-même. Lequel lui révèle le mécanisme des événements jusque-là survenus : « Don Emmanuel de Sa, le gouverneur de Cadix, est un des initiés. Il t'avait envoyé Lopez et Moschito qui t'abandonnèrent à la source d'Alcornoque. (...) A l'aide d'une boisson soporifique on fit en sorte que tu te réveilles le lendemain sous le gibet des frères Zoto. De là, tu es venu dans mon ermitage où tu as rencontré le terrible possédé Paschéco qui est en fait un danseur basque. (...) Le jour suivant, on te soumit à une épreuve beaucoup plus cruelle : la fausse inquisition qui te menaça par des horribles tortures mais ne réussit pas à ébranler ton courage » (trad. allem., p. 734), etc.

Le doute était jusque-là maintenu, comme on sait, entre deux pôles, l'existence du surnaturel et une série d'explications rationnelles. Enumérons maintenant les types d'explication qui tentent de réduire le surnaturel : il y a d'abord le hasard, les coïncidences — car dans le monde surnaturel il n'y a pas de hasard, règne au contraire ce qu'on peut appeler le « pan-déterminisme » (le hasard sera l'explication réduisant le surnaturel dans *Inès de las Sierras*) ; viennent ensuite le rêve (solution proposée dans *le Diable amoureux*), l'influence des drogues (les rêves d'Alphonse au cours de la première nuit), les supercheries, les jeux truqués (solution essentielle dans le *Manuscrit trouvé à Saragosse*), l'illusion des sens (on en verra plus tard des exemples avec *la Morte amoureuse* de Gautier et *la Chambre ardente* de J. D. Carr), enfin la folie, comme dans *la Princesse Brambilla*. Il y a là évidemment deux groupes d' « excuses », qui correspondent aux oppositions réel-imaginaire et réel-illusoire. Dans le premier groupe, rien de surnaturel ne s'est produit, car il ne s'est rien produit du tout : ce que l'on croyait voir n'était que le fruit d'une imagination déréglée (rêve, folie, drogues). Dans le second, les événements ont bien eu lieu, mais ils se laissent expliquer rationnellement (hasards, supercheries, illusions).

On se souvient que, dans les définitions du fantastique citées plus haut, la solution rationnelle était donnée comme « complètement privée de probabilité interne » (Soloviov) ou comme une « porte assez étroite pour qu'on ne puisse pas s'en servir » (M. R. James). De fait, les solutions réalistes que reçoivent le *Manuscrit trouvé à Saragosse* ou *Inès de las Sierras* sont parfaitement invraisemblables ; les solutions surnaturelles auraient été, au contraire, vraisemblables. La coïncidence est trop artificielle dans la nouvelle de Nodier ; quant au *Manuscrit,* son auteur ne cherche même pas à lui donner une fin croyable : l'histoire du trésor, de la montagne creuse, de l'empire des Gomélez est plus difficile à admettre que celle de la femme transformée en charogne ! Le vraisemblable ne s'oppose donc nullement au fantastique : le premier est une catégorie qui a trait à la cohérence interne, à la soumission au genre[1], le second se réfère à la perception ambiguë du lecteur et du personnage. A l'intérieur du genre fantastique, il est vraisemblable qu'aient lieu des réactions « fantastiques ».

A côté de ces cas, où l'on se retrouve dans l'étrange un peu malgré soi, par nécessité d'expliquer le fantastique, existe aussi l'étrange pur. Dans les œuvres qui appartiennent à ce genre, on relate des événements qui peuvent parfaitement s'expliquer par les lois de la raison, mais qui sont, d'une manière ou d'une autre, incroyables, extraordinaires, choquants, singuliers, inquiétants, insolites et qui, pour cette raison, provoquent

1. On consultera là-dessus plusieurs études parues dans *le Vraisemblable* (*Communications,* 11).

chez le personnage et le lecteur une réaction semblable à celle que les textes fantastiques nous ont rendue familière. La définition est, on le voit, large et imprécise, mais tel est aussi le genre qu'elle décrit : l'étrange n'est pas un genre bien délimité, au contraire du fantastique ; plus exactement, il n'est limité que d'un côté, celui du fantastique ; de l'autre, il se dissout dans le champ général de la littérature (les romans de Dostoïevski, par exemple, peuvent être rangés dans la catégorie de l'étrange). Si l'on en croit Freud, le sentiment de l'étrange (*das Unheimliche*) serait lié à l'apparition d'une image qui s'origine dans l'enfance de l'individu ou de la race (ce serait une hypothèse à vérifier ; il n'y a pas recouvrement parfait entre cet emploi du terme et le nôtre). La pure littérature d'horreur appartient à l'étrange ; beaucoup de nouvelles d'Ambrose Bierce pourraient nous servir ici d'exemple.

L'étrange réalise, comme on voit, une seule des conditions du fantastique : la description de certaines réactions, en particulier de la peur ; il est lié uniquement aux sentiments des personnages et non à un événement matériel défiant la raison (le merveilleux, au contraire, se caractérisera par la seule existence de faits surnaturels, sans impliquer la réaction qu'ils provoquent chez les personnages).

Voici une nouvelle d'Edgar Poe qui illustre un étrange proche du fantastique : *la Chute de la maison Usher*. Le narrateur arrive un soir dans la maison, appelé par son ami Roderick Usher qui lui demande de rester avec lui quelque temps. Roderick est un être hypersensible, nerveux, et qui adore sa sœur, en ce moment gravement malade. Elle meurt quelques jours plus tard, et les deux amis, plutôt que de l'enterrer, déposent son corps dans un des caveaux de la maison. Quelques jours s'écoulent ; par un soir de tempête, comme les deux hommes se trouvent dans une pièce où le narrateur lit à haute voix une ancienne histoire de chevalerie, les sons décrits dans la chronique semblent faire écho aux bruits que l'on entend dans la maison. A la fin, Roderick Usher se lève et dit, d'une voix à peine perceptible : « Nous l'avons mise vivante dans la tombe ! » (N.H.E., p. 105). Et, en effet, la porte s'ouvre, la sœur se tient sur le seuil. Frère et sœur se jettent dans les bras l'un de l'autre, et tombent morts. Le narrateur s'enfuit de la maison juste à temps pour la voir s'écrouler dans l'étang voisin.

L'étrange a ici deux sources. La première est constituée par des coïncidences (il y en a autant que dans une histoire de surnaturel expliqué). Ainsi pourraient apparaître surnaturelles la résurrection de la sœur et la chute de la maison après la mort de ses habitants ; mais Poe n'a pas manqué d'expliquer rationnellement l'une et l'autre. De la maison, il écrit : « Peut-être l'œil d'un observateur minutieux aurait-il découvert une fissure à peine visible, qui, partant du toit de la façade, se frayait une route en zigzag à travers le mur et allait se perdre dans les eaux funestes de l'étang » (p. 90). Et de Lady Madeline : « Des crises fréquentes, quoique passagères, d'un caractère presque cataleptique, en étaient les diagnostics très singuliers » (p. 94). L'explication surnaturelle n'est donc que suggérée et il n'est pas nécessaire de l'accepter.

L'autre série d'éléments qui provoquent l'impression d'étrangeté n'est pas liée au fantastique mais à ce qu'on pourrait appeler une « expérience des limites », et qui caractérise l'ensemble de l'œuvre de Poe. Baudelaire écrivait déjà de lui : « Aucun homme n'a raconté avec plus de magie les *exceptions* de la vie humaine et de la nature » ; et Dostoïevsky : « Il [Poe] choisit presque toujours la réalité la plus exceptionnelle, met son personnage dans la situation la plus exceptionnelle, sur le plan extérieur ou psychologique... » (Poe a d'ailleurs écrit un conte sur ce thème, un conte « méta-étrange », intitulé *l'Ange du bizarre*). Dans *la Chute de la maison Usher* c'est l'état extrêmement maladif du frère et de la sœur qui trouble le lecteur. Ailleurs ce seront des scènes de cruauté, la jouissance dans le mal, le meurtre qui provoqueront le même effet. Le sentiment d'étrangeté part donc des thèmes évoqués, lesquels sont liés à des tabous plus ou moins anciens. Si l'on admet que l'expérience primitive est constituée par la transgression, on peut accepter la théorie de Freud sur l'origine de l'étrange.

Ainsi donc le fantastique se trouve en définitive exclu de *la Maison Usher*. D'une manière générale, on ne trouve pas dans l'œuvre de Poe de contes fantastiques, au sens strict, à l'exception peut-être des *Souvenirs de M. Bedloe* et du *Chat noir*. Ses nouvelles relèvent presque toutes de l'étrange, et quelques-unes, du merveilleux. Cependant, et par les thèmes, et par les techniques qu'il a élaborées, Poe reste très proche des auteurs du fantastique.

On sait aussi que Poe a donné naissance au roman policier contemporain, et ce voisinage n'est pas un effet de hasard ; on écrit d'ailleurs souvent que les histoires policières ont remplacé les histoires de fantômes. Précisons la nature de cette relation. Le roman policier à énigme, où l'on cherche à découvrir l'identité du coupable, est construit de la manière suivante : il y a d'une part plusieurs solutions faciles, à première vue tentantes, mais qui se révèlent fausses l'une après l'autre ; d'autre part, il y a une solution tout à fait invraisemblable, à laquelle on n'aboutira qu'à la fin, et qui se révélera la seule vraie. On voit déjà ce qui rapproche le roman policier du conte fantastique. Souvenons-nous des définitions de Soloviov et de James : le récit fantastique comporte aussi deux solutions, l'une vraisemblable et surnaturelle, l'autre, invraisemblable et rationnelle. Il suffit donc que cette seconde solution soit, dans le roman policier, difficile à trouver au point qu'elle « défie la raison », et nous voilà prêts à accepter l'existence du surnaturel plutôt que l'absence de toute explication. Nous en avons un exemple classique : *Dix petits nègres* d'Agatha Christie. Dix personnages se trouvent enfermés sur une île ; on leur dit (par disque) qu'ils mourront tous, punis pour un crime que la loi ne peut pas punir ; la nature de la mort de chacun se trouve de plus décrite dans la comptine des « Dix petits nègres ». Les condamnés — et le lecteur avec eux — essayent en vain de découvrir qui exécute les châtiments successifs : ils sont seuls sur l'île ; ils meurent l'un après l'autre, chacun de la manière annoncée par la chanson ; jusqu'au dernier qui, et ceci provoque l'impression du surnaturel, ne se suicide pas mais est tué. Aucune explication rationnelle ne semble possible, il faut admettre l'existence d'êtres invisibles, ou d'esprits. Evidemment, cette hypothèse n'est pas vraiment nécessaire, l'explication rationnelle sera donnée. Le roman policier à énigme se rapproche du fantastique, mais il en est aussi l'opposé : dans les textes fantastiques, on penche quand même plutôt pour l'explication surnaturelle ; le roman policier, une fois terminé, ne laisse aucun doute quant à l'absence d'événements surnaturels. Ce rapprochement ne vaut d'ailleurs que pour un certain type de roman policier à énigme (le local clos) et un certain type de récit étrange (le surnaturel expliqué). De plus, l'accent est placé différemment dans les deux genres : dans le roman policier, il est mis sur la solution de l'énigme ; dans les textes se rattachant à l'étrange (comme dans le récit fantastique), sur les réactions que cette énigme provoque. Il résulte néanmoins de cette proximité structurale une ressemblance qu'on doit relever.

Il est un auteur qui mérite qu'on s'y arrête plus longuement, quand on traite de la relation entre romans policiers et histoires fantastiques : c'est John Dickson Carr ; et il y a dans son œuvre un livre qui pose le problème d'une manière exemplaire : *la Chambre ardente*. De même que dans le roman d'Agatha Christie, on est placé ici devant un problème en apparence insoluble pour la raison : quatre hommes ouvrent une crypte, où l'on a déposé quelques jours plus tôt un cadavre ; or, la crypte est vide, et il n'est pas possible que quelqu'un l'ait ouverte entre-temps. Il y a plus : tout au long de l'histoire, on parle de fantômes et de phénomènes surnaturels. Le crime qui a eu lieu a un témoin, et ce témoin affirme avoir vu la meurtrière quitter la chambre de la victime en traversant le

mur, à un endroit où une porte existait deux cents ans auparavant. D'autre part, l'une des personnes impliquées dans
l'affaire, une jeune femme, croit elle-même être une sorcière,
plus exactement une empoisonneuse (le meurtre était dû au
poison) qui appartiendrait à un type particulier d'êtres humains :
les *non-morts*. « En bref, les non-morts sont ces personnes —
principalement des femmes — qui ont été condamnées à mort
pour crime d'empoisonnement, et dont les corps ont été brûlés
sur le bûcher, morts ou vifs », apprend-on plus tard (p. 167).
Or, en feuilletant un manuscrit qu'il a reçu de la maison d'édition où il travaille, Stevens, le mari de cette femme, tombe sur
une photographie dont la légende est : *Marie d'Aubray, guillotinée pour meurtre en 1861.* Le texte continue : « C'était une
photographie de la propre femme de Stevens » (p. 18). Comment la jeune femme pourrait-elle être, quelque soixante-dix
ans plus tard, la même personne qu'une célèbre empoisonneuse
du XIXᵉ siècle, et de surcroît guillotinée ? Très facilement, à
en croire la femme de Stevens, qui est prête à assumer les
responsabilités du meurtre actuel. Une série d'autres coïncidences semble confirmer la présence du surnaturel. Enfin, un
détective arrive et tout commence à s'éclaircir. La femme qu'on
avait vue traverser le mur, c'était une illusion des sens provoquée par un miroir. Le cadavre n'avait pas disparu mais était
habilement caché. La jeune Marie Stevens n'avait rien de commun avec des empoisonneuses mortes depuis longtemps, bien
qu'on ait essayé de le lui faire croire. Toute l'atmosphère
de surnaturel avait été créée par le meurtrier pour embrouiller
l'affaire, détourner les soupçons. Les véritables coupables sont
découverts, même si on ne réussit pas à les punir.

Vient un épilogue grâce auquel *la Chambre ardente* sort
de la classe des romans policiers qui évoquent simplement le
surnaturel, pour entrer dans celle des récits fantastiques. On
voit à nouveau Marie, dans la maison, repenser à l'affaire ; et le
fantastique resurgit. Marie affirme (au lecteur) que c'est bien
elle l'empoisonneuse, que le détective était en fait son ami (ce

qui n'est pas faux) et qu'il a donné toute l'explication rationnelle pour la sauver, elle, Marie (« Il a vraiment été très habile de leur fournir une explication, un raisonnement tenant compte des trois dimensions seulement et de l'obstacle des murs de pierre », p. 237).

Le monde des non-morts reprend ses droits, et le fantastique avec lui : nous sommes en pleine hésitation sur la solution à choisir. Mais il faut bien voir que, finalement, il s'agit moins ici d'une ressemblance entre deux genres que de leur synthèse.

Passons maintenant de l'autre côté de cette ligne médiane que nous avons appelée le fantastique. Nous sommes dans le fantastique-merveilleux, autrement dit, dans la classe des récits qui se présentent comme fantastiques et qui se terminent par une acceptation du surnaturel. Ce sont là les récits les plus proches du fantastique pur, car celui-ci, du fait même qu'il demeure non expliqué, non rationalisé, nous suggère bien l'existence du surnaturel. La limite entre les deux sera donc incertaine ; néanmoins la présence ou l'absence de certains détails permettra toujours de décider.

La Morte amoureuse de Théophile Gautier peut servir d'exemple. C'est l'histoire d'un moine qui, le jour de son ordination, tombe amoureux de la courtisane Clarimonde. Après quelques fugitives rencontres, Romuald (c'est le nom du moine) assiste à la mort de Clarimonde. Dès ce jour, elle commence d'apparaître dans ses rêves. Ces rêves ont d'ailleurs une propriété étrange : au lieu de se former à partir des impressions de la journée, ils constituent un récit continu. Dans ses rêves, Romuald ne mène plus l'existence austère d'un moine, mais vit à Venise, dans le faste de fêtes ininterrompues. Et dans le même temps il s'aperçoit que Clarimonde se maintient en vie grâce à son sang qu'elle vient sucer pendant la nuit...

Jusque-là, tous les événements peuvent avoir une explication

rationnelle. Explications dont le rêve fournit une grande partie
(« Dieu veuille que ce soit un rêve ! », s'exclame Romuald
(p. 79), ressemblant en cela à Alvare dans *le Diable amoureux*) ; les illusions des sens, une autre. Ainsi : « Un soir, en me
promenant dans les allées bordées de buis de mon petit jardin, *il me sembla* voir à travers la charmille une forme de
femme » (p. 93) ; « Un instant même *je crus* avoir vu bouger
son pied... » (p. 97) ; « *Je ne sais si cela était une illusion ou
un reflet de la lampe mais on eût dit que* le sang recommençait
à circuler sous cette mate pâleur » (p. 99, c'est moi qui
souligne), etc. Enfin une série d'événements peuvent être considérés comme simplement étranges, et dus au hasard ; mais
Romuald est prêt, lui, à y voir l'intervention du diable :
« L'étrangeté de l'aventure, la beauté surnaturelle [!] de Clarimonde, l'éclat phosphorique de ses yeux, l'impression brûlante
de sa main, le trouble où elle m'avait jeté, le changement subit
qui s'était opéré en moi, tout cela prouvait clairement la présence du diable, et cette main satinée n'était peut-être que le
gant dont il avait recouvert sa griffe » (p. 90).

Ce peut être le diable, en effet, mais ce peut être aussi le seul
hasard. Nous restons donc jusque-là dans le fantastique pur.
Or il se produit à ce moment un événement qui fait virer le récit.
Un autre abbé, Sérapion, apprend (on ne sait comment) l'aventure de Romuald ; il emmène ce dernier jusqu'au cimetière
où repose Clarimonde ; il déterre le cercueil, l'ouvre et Clarimonde apparaît, aussi fraîche que le jour de sa mort, une goutte
de sang aux lèvres... Saisi d'une pieuse colère, l'abbé Sérapion
jette de l'eau bénite sur le cadavre. « La pauvre Clarimonde
n'eut pas plus tôt été touchée par la sainte rosée que son beau
corps tomba en poussière ; ce ne fut plus qu'un mélange affreu-
sement informe de cendres et d'os à demi calcinés » (p. 116).
Toute cette scène, et en particulier la métamorphose du cadavre,
ne peut être expliquée par les lois de la nature telles qu'elles
sont reconnues ; nous sommes bien dans le fantastique-merveilleux.

Un exemple semblable se trouve dans *Véra* de Villiers de l'Isle-Adam. Ici encore, tout au long de la nouvelle, on peut hésiter entre : croire à la vie après la mort ; ou penser que le comte qui y croit est fou. Mais à la fin, le comte découvre dans sa chambre la clé du tombeau de Véra ; or cette clé, il l'avait jetée lui-même à l'intérieur du tombeau ; il faut donc que ce soit Véra, la morte, qui l'ait apportée.

Il existe enfin un « merveilleux pur » qui, de même que l'étrange, n'a pas de limites nettes (on a vu au chapitre précédent que des œuvres extrêmement diverses contiennent des éléments de merveilleux). Dans le cas du merveilleux, les éléments surnaturels ne provoquent aucune réaction particulière ni chez les personnages, ni chez le lecteur implicite. Ce n'est pas une attitude envers les événements rapportés qui caractérise le merveilleux, mais la nature même de ces événements.

On voit — notons-le en passant — jusqu'à quel point était arbitraire l'ancienne distinction entre forme et contenu : l'événement évoqué, qui appartenait traditionnellement au « contenu », devient ici un élément « formel ». L'inverse est aussi vrai : le procédé stylistique (donc « formel ») de modalisation peut avoir, on l'a vu à propos d'*Aurélia*, un contenu précis.

On lie généralement le genre du merveilleux à celui du conte de fées ; en fait, le conte de fées n'est qu'une des variétés du merveilleux et les événements surnaturels n'y provoquent aucune surprise : ni le sommeil de cent ans, ni le loup qui parle, ni les dons magiques des fées (pour ne citer que quelques éléments des contes de Perrault). Ce qui distingue le conte de fées est une certaine écriture, non le statut du surnaturel. Les contes d'Hoffmann illustrent bien cette différence : *Casse-Noisette et le Roi des souris*, *l'Enfant étranger*, *la Fiancée du roi* relèvent, par des propriétés d'écriture, du conte de fées ; *le Choix d'une fiancée*, tout en conservant au surnaturel le même statut, n'est pas un conte de fées. Il faudrait aussi carac-

tériser *les Mille et une nuits* comme contes merveilleux plutôt
que comme contes de fées (cette question demanderait une
étude particulière).

Pour bien cerner le merveilleux pur, il convient d'en écarter
plusieurs types de récit, où le surnaturel reçoit encore une certaine justification.

1. On pourrait parler d'abord d'un *merveilleux hyperbolique*. Les phénomènes ne sont ici surnaturels que par leurs
dimensions, supérieures à celles qui nous sont familières. Ainsi
dans *les Mille et une nuits*, Sindbad le marin affirme avoir
vu des « poissons longs de cent et deux cents coudées » ou des
« serpents si gros et si longs qu'il n'y en avait pas un qui n'eût
englouti un éléphant » (p. 241). Mais peut-être s'agit-il d'une
simple manière de parler (nous étudierons cette question quand
nous traiterons de l'interprétation poétique ou allégorique du
texte) ; on pourrait dire encore, reprenant un proverbe, que « les
yeux de la peur sont grands ». De toute façon, ce surnaturel-là
ne fait pas trop violence à la raison.

2. Assez proche de ce premier type de merveilleux est le
merveilleux exotique. On rapporte ici des événements surnaturels sans les présenter comme tels ; le récepteur implicite de
ces contes est censé ne pas connaître les régions où se déroul-
ent les événements ; par conséquent il n'a pas de raisons de les
mettre en doute. Le second voyage de Sindbad fournit quelques
exemples excellents. On y décrit au début l'oiseau roc, aux
dimensions prodigieuses : il cachait le soleil, et « un des pieds de
l'oiseau... était aussi gros qu'un gros tronc d'arbre » (p. 241).
Bien sûr, cet oiseau n'existe pas pour la zoologie contemporaine ; mais les auditeurs de Sindbad étaient loin de cette certitude et, cinq siècles plus tard, Galland lui-même écrit : « Marc
Paul, dans ses voyages, et le Père Martini, dans son histoire de
la Chine, parlent de cet oiseau », etc. Un peu plus tard, Sindbad
décrit de la même manière le rhinocéros qui pourtant nous est
bien connu : « Il y a dans la même île des rhinocéros, qui sont
des animaux plus petits que l'éléphant et plus grands que le

buffle ; ils ont une corne sur le nez, longue environ d'une coudée ; cette corne est solide et coupée par le milieu d'une extrémité à l'autre. On voit dessus des traits blancs qui représentent la figure d'un homme. Le rhinocéros se bat avec l'éléphant, le perce de sa corne par-dessous le ventre, l'enlève et le porte sur sa tête ; mais comme le sang et la graisse de l'éléphant lui coulent sur les yeux et l'aveuglent, il tombe par terre, et, ce qui va vous étonner [en effet], le roc vient qui les enlève tous deux entre ses griffes et les emporte pour nourrir ses petits » (p. 244-245). Ce morceau de bravoure montre, par le mélange des éléments naturels et surnaturels, le caractère particulier du merveilleux exotique. Le mélange n'existe évidemment que pour nous, lecteur moderne ; le narrateur implicité du conte situant tout au même niveau (celui du « naturel »).

3. Un troisième type de merveilleux pourrait être appelé le *merveilleux instrumental*. Apparaissent ici de petits gadgets, des perfectionnements techniques irréalisables à l'époque décrite, mais après tout parfaitement possibles. Dans l'*Histoire du prince Ahmed* des *Mille et une nuits*, par exemple, ces instruments merveilleux sont, au début : un tapis volant, une pomme qui guérit, un « tuyau » de longue vue ; de nos jours, l'hélicoptère, les antibiotiques ou les jumelles, doués des mêmes qualités, ne relèvent nullement du merveilleux ; et il en va de même pour le cheval volant dans l'*Histoire du cheval enchanté*. Ou pour la pierre qui tourne dans l'*Histoire d'Ali Baba* : il suffit de penser à un récent film d'espionnage (*la Blonde défie F.B.I.*) où l'on voit un *safe* secret qui s'ouvre seulement lorsque la voix de son propriétaire prononce certains mots. Il faut distinguer ces objets, produits de l'habileté humaine, de certains instruments souvent semblables en apparence, mais dont l'origine est magique et qui servent à communiquer avec les autres mondes : ainsi la lampe et la bague d'Aladin, ou le cheval dans l'*Histoire du troisième calender*, qui relèvent d'un merveilleux différent.

4. Le merveilleux instrumental nous a conduit très près

de ce qu'on appelait en France, au XIX° siècle, le *merveilleux scientifique*, et qu'on appelle aujourd'hui la science-fiction. Ici, le surnaturel est expliqué d'une manière rationnelle mais à partir de lois que la science contemporaine ne reconnaît pas. A l'époque du récit fantastique, ce sont les histoires où intervient le magnétisme qui relèvent du merveilleux scientifique. Le magnétisme explique « scientifiquement » des événements surnaturels, seulement le magnétisme lui-même relève du surnaturel. Tels sont *le Spectre fiancé* ou *le Magnétiseur* de Hoffmann ; tel, *la Vérité sur le cas de M. Valdemar* de Poe ou *Un fou ?* de Maupassant. La science-fiction actuelle, quand elle ne glisse pas dans l'allégorie, obéit au même mécanisme. Ce sont des récits où, à partir de prémisses irrationnelles, les faits s'enchaînent d'une manière parfaitement logique. Ils possèdent également une structure de l'intrigue, différente de celle du conte fantastique ; on y reviendra plus tard (chap. X).

A toutes ces variétés de merveilleux « excusé », justifié, imparfait, s'oppose le merveilleux pur, qui ne s'explique d'aucune manière. On n'a pas à s'y arrêter ici : d'une part, parce que les éléments du merveilleux, en tant que thèmes, seront examinés plus loin (chap. VII-VIII). D'autre part, l'aspiration au merveilleux en tant que phénomène anthropologique dépasse le cadre d'une étude qui se veut littéraire. On le regrettera d'autant moins que le merveilleux a été, dans cette perspective, l'objet de livres très pénétrants ; et j'emprunte en guise de conclusion à l'un d'entre eux, *le Miroir du merveilleux* de Pierre Mabille, une phrase qui définit bien le sens du merveilleux : « Au-delà de l'agrément, de la curiosité, de toutes les émotions que nous donnent les récits, les contes et les légendes, au-delà du besoin de se distraire, d'oublier, de se procurer des sensations agréables et terrifiantes, le but réel du voyage merveilleux est, nous sommes déjà en mesure de le comprendre, l'exploration plus totale de la réalité universelle » (p. 24).

4

La poésie et l'allégorie

*Nouveaux dangers pour le fantastique. - Poésie et
fiction : la catégorie de représentativité. - La poésie
comme opacité du texte. - Deux rêves tirés d'Aurélia. - Sens allégorique et sens littéral. - Définitions
de l'allégorie. - Les degrés de l'allégorie. - Perrault
et Daudet. - L'allégorie indirecte (la Peau de chagrin et Véra). - L'allégorie hésitante : Hoffmann
et Edgar Poe. - L'anti-allégorie : le Nez de Gogol.*

On a vu quels dangers guettent le fantastique à un premier
niveau, celui où le lecteur implicite juge des événements rapportés en s'identifiant au personnage. Ces dangers sont symétriques et inverses : ou bien le lecteur admet que ces événements en apparence surnaturels peuvent recevoir une explication rationnelle, et l'on passe alors du fantastique à l'étrange ;
ou bien il admet leur existence comme tels, et l'on se retrouve
alors dans le merveilleux.

Mais les périls que court le fantastique ne s'arrêtent pas là.
Si l'on passe à un autre niveau, celui où le lecteur — toujours
implicite — s'interroge non sur la nature des événements, mais
sur celle du texte même qui les évoque, on voit encore une fois
le fantastique menacé dans son existence. Cela va nous conduire à un nouveau problème et, pour le résoudre, nous devrons
préciser les rapports du fantastique avec deux genres voisins :
la *poésie* et l'*allégorie*. L'articulation est ici plus complexe que
celle qui régissait les rapports du fantastique à l'étrange et au
merveilleux. D'abord, parce que le genre qui s'oppose à la poésie, d'une part, et de l'autre, à l'allégorie, n'est pas le fantastique seul mais, chaque fois, un ensemble beaucoup plus vaste

dont le fantastique fait partie. Ensuite parce que, au contraire
de l'étrange et du merveilleux, la poésie et l'allégorie ne sont
pas entre elles en opposition ; chacune s'oppose pour sa part
à un autre genre (dont le fantastique n'est qu'une subdivision) ; un autre genre qui n'est pas le même dans les deux cas.
Il faut donc étudier les deux oppositions séparément.

Commençons par la plus simple : *poésie* et *fiction*. On a vu
dès le début de cette étude que toute opposition entre deux genres doit reposer sur une propriété structurale de l'œuvre littéraire. Cette propriété, c'est ici la nature même du discours,
qui peut être ou non représentatif. Il faut manier ce terme de
« représentatif » avec précaution. La littérature n'est pas représentative, au sens où certaines phrases du discours quotidien
peuvent l'être, car elle ne se réfère (au sens précis du mot) à rien
qui lui soit extérieur. Les événements rapportés par un texte
littéraire sont des « événements » littéraires et, de même que
les personnages, sont intérieurs au texte. Mais refuser de ce
fait à la littérature tout caractère représentatif, c'est confondre la
référence avec le référent, l'aptitude à dénoter les objets avec
les objets eux-mêmes. Plus encore, le caractère représentatif
commande une partie de la littérature, qu'il est commode de
désigner par le terme de *fiction*, cependant que la *poésie* refuse
cette aptitude à évoquer et représenter (cette opposition tend
d'ailleurs à s'estomper dans la littérature du xxᵉ siècle). Ce
n'est pas un hasard si, dans le premier cas, les termes employés
couramment sont : personnages, action, atmosphère, cadre, etc.,
tous termes qui désignent aussi une réalité non textuelle. En
revanche, lorsqu'il est question de poésie, on se trouve entraîné
à parler de rimes, de rythme, de figures rhétoriques, etc. Cette
opposition, comme la plupart de celles qu'on trouve en littérature, n'est pas de l'ordre du tout ou rien, mais plutôt de degré.
La poésie comporte, elle aussi, des éléments représentatifs ;
et la fiction, des propriétés qui rendent le texte opaque, non
transitif. Mais l'opposition n'en existe pas moins.

Sans faire ici l'historique du problème, on indiquera que cette conception de la poésie n'a pas toujours été prédominante. La controverse fut particulièrement vive à propos des figures de rhétorique : on se demandait si l'on devait ou non faire des figures autant d'images, passer de la formule à la représentation. Voltaire, par exemple, disait que « la métaphore, pour être bonne, doit être toujours une image ; qu'elle doit être telle qu'un peintre pût la représenter au pinceau » (*Remarques sur Corneille*). Cette exigence naïve, à laquelle d'ailleurs aucun poète n'a jamais satisfait, a été contestée dès le XVIIIe siècle ; mais il faudra attendre, en France tout au moins, Mallarmé, pour qu'on commence à prendre les mots pour des mots, non pour des supports imperceptibles d'images. Dans la critique contemporaine, ce sont les Formalistes russes qui ont les premiers insisté sur l'intransitivité des images poétiques. Chklovski évoque à ce propos « la comparaison, que fait Tioutchev, de l'aurore avec des démons sourds-muets, ou celle, que fait Gogol, du ciel avec les chasubles de Dieu » (p. 77). On convient aujourd'hui que les images poétiques ne sont pas descriptives, qu'elles doivent être lues au pur niveau de la chaîne verbale qu'elles constituent, dans leur littéralité, non pas même à celui de leur référence. L'image poétique est une combinaison de mots, non de choses, et il est inutile, plus même : nuisible, de traduire cette combinaison en termes sensoriels.

On voit maintenant pourquoi la lecture poétique constitue un écueil pour le fantastique. Si, en lisant un texte, on refuse toute représentation et que l'on considère chaque phrase comme une pure combinaison sémantique, le fantastique ne pourra apparaître : il exige, on s'en souvient, une réaction aux événements tels qu'ils se produisent dans le monde évoqué. Pour cette raison, le fantastique ne peut subsister que dans la fiction ; la poésie ne peut être fantastique (bien qu'il y ait des anthologies de « poésie fantastique »...). Bref, le fantastique implique la fiction.

Généralement, le discours poétique se signale par de nombreuses propriétés secondaires, et nous savons donc d'emblée que, dans un tel texte, il ne faudra pas chercher du fantastique : les rimes, le mètre régulier, le discours émotif, etc., nous en détournent. Il n'y a pas là grand risque de confusion. Mais certains textes en prose exigent différents niveaux de lecture. Référons-nous encore à *Aurélia*. La plupart du temps, les rêves rapportés par Nerval doivent être lus comme fiction, il convient de se représenter ce qu'ils décrivent. Voici un exemple de ce type de rêves. « Un être d'une grandeur démesurée, — homme ou femme, je ne sais —, voltigeait péniblement au-dessus de l'espace et semblait se débattre parmi des nuages épais. Manquant d'haleine et de force, il tomba enfin au milieu de la cour obscure, accrochant et froissant ses ailes le long des toits et des balustres », (p. 255), etc. Ce rêve évoque une vision qu'il faut prendre comme telle ; il s'agit bien ici d'un événement surnaturel.

Or, voici maintenant un exemple, pris dans un rêve des *Mémorables,* qui illustre une autre attitude à l'égard du texte. « Du sein des ténèbres muettes, deux notes ont résonné, l'une grave, l'autre aiguë, — et l'orbe éternel s'est mis à tourner aussitôt. Sois bénie, ô première octave qui commenças l'hymne divin ! Du dimanche au dimanche, enlace tous les jours dans ton réseau magique. Les monts te chantent aux vallées, les sources aux rivières, les rivières aux fleuves, et les fleuves à l'Océan ; l'air vibre et la lumière brise harmonieusement les fleurs naissantes. Un soupir, un frisson d'amour sort du sein gonflé de la terre, et le cœur des astres se déroule dans l'infini, il s'écarte et revient sur lui-même, se resserre et s'épanouit, et sème au loin les germes des créations nouvelles » (p. 311-312). Si nous essayons de dépasser les mots pour atteindre la vision, celle-ci sera à ranger dans la catégorie du surnaturel : et l'octave qui enlace les jours, et le chant des monts, des vallées, etc., et le soupir qui sort de la terre. Mais il ne faut pas ici s'engager dans cette voie : les phrases citées requièrent une lecture poétique, elles ne tendent pas à décrire un monde évoqué. Tel est le paradoxe du langage littéraire : c'est précisément lorsque les mots sont employés au sens figuré que nous devons les prendre à la lettre.

Nous voici conduits, par le biais des figures rhétoriques, à l'autre opposition qui nous préoccupe : entre sens *allégorique* et sens *littéral*. Le mot *littéral* que nous employons ici aurait pu être utilisé, dans un autre sens, pour désigner cette lecture que nous croyons propre à la poésie. Il faut se garder de confondre les deux emplois : dans l'un des cas, littéral s'oppose à référentiel, descriptif, représentatif ; dans l'autre, celui qui nous intéresse maintenant, il s'agit plutôt de ce qu'on appelle aussi le sens propre, par opposition au sens figuré, ici le sens allégorique.

Commençons par définir l'allégorie. Comme d'habitude, les définitions passées ne manquent pas, et vont du plus étroit au plus large. Curieusement, la définition la plus ouverte est aussi la plus récente ; on la trouve dans cette véritable encyclopédie de l'allégorie qu'est le livre d'Angus Fletcher, *Allegory*. « Pour parler simplement, l'allégorie dit une chose et en signifie une autre », écrit Fletcher au début de son livre (p. 2). Toutes les définitions sont en fait, on le sait, arbitraires ; mais celle-ci n'est guère attirante : par sa généralité, elle transforme l'allégorie en fourre-tout, en super-figure.

À l'autre extrême se situe une acception du terme, également moderne, beaucoup plus restrictive, et qu'on pourrait résumer ainsi : l'allégorie est une proposition à double sens, mais dont le sens propre (ou littéral) s'est entièrement effacé. Ainsi dans les proverbes. « Tant va la cruche à l'eau qu'à la fin elle se casse » — personne, ou presque, ne pense, en entendant ces mots, à une cruche, à l'eau, à l'action de casser ; on saisit immédiatement le sens allégorique : courir trop de risques est dangereux, etc. Ainsi entendue, l'allégorie a été souvent stigmatisée par les auteurs modernes, comme contraire à la littéralité.

L'idée qu'on se faisait de l'allégorie dans l'Antiquité nous permettra d'aller plus avant. Quintilien écrit : « Une métaphore continue se développe en allégorie. » Autrement dit, une métaphore isolée n'indique qu'une manière figurée de parler ; mais si la métaphore est continue, suivie, elle révèle l'intention certaine de parler aussi d'autre chose que de l'objet premier de l'énoncé. Cette définition est précieuse parce que formelle, elle indique le moyen par lequel on peut identifier l'allégorie. Si, par exemple, on parle d'abord de l'Etat comme d'un bateau, puis du chef de l'Etat, en l'appelant capitaine, nous pouvons dire que l'imagerie maritime offre une allégorie de l'Etat.

Fontanier, le dernier grand rhétoricien français, écrit : « L'allégorie consiste dans une proposition à double sens, à sens littéral et à sens spirituel tout ensemble » (p. 114) ; et il l'illustre par l'exemple suivant :

> *J'aime mieux un ruisseau qui, sur la molle arène,*
> *Dans un pré plein de fleurs lentement se promène,*
> *Qu'un torrent débordé qui, d'un cours orageux,*
> *Roule plein de gravier sur un terrain fangeux.*

On pourrait prendre ces quatre alexandrins pour une poésie naïve, de qualité douteuse, si l'on ignorait que ces vers appartiennent à l'*Art poétique* de Boileau ; ce que Boileau vise n'est évidemment pas la description d'un ruisseau mais celle de deux styles, comme d'ailleurs Fontanier ne manque pas de l'expliquer : « Boileau veut faire entendre qu'un style fleuri et soigné est préférable à un style impétueux, inégal et sans règle » (p. 115). On n'a évidemment pas besoin du commentaire de Fontanier pour le comprendre ; le simple fait que le quatrain se trouve dans l'*Art poétique* suffit : les mots seront pris au sens allégorique.

Récapitulons. Premièrement, l'allégorie implique l'existence d'au moins deux sens pour les mêmes mots ; on nous dit parfois que le sens premier doit disparaître, d'autres fois que les deux doivent être présents ensemble. Deuxièmement, ce double sens est indiqué dans l'œuvre de manière *explicite* : il ne relève pas de l'interprétation (arbitraire ou non) d'un lecteur quelconque.

Appuyons-nous sur ces deux conclusions et revenons au fantastique. Si ce que nous lisons décrit un événement surnaturel, et qu'il faille pourtant prendre les mots non au sens littéral mais dans un autre sens qui ne renvoie à rien de surnaturel, il n'y a plus de lieu pour le fantastique. Il existe donc une gamme de sous-genres littéraires, entre le fantastique (lequel appartient à ce type de textes qui doivent être lus au sens littéral) et l'allégorie pure qui ne garde que le sens second, allégorique ; gamme qui se constituera en fonction de deux facteurs : le caractère explicite de l'indication, et la disparition du sens premier. Quelques exemples nous permettront de rendre cette analyse plus concrète.

La fable est le genre qui se rapproche le plus de l'allégorie pure, où le sens premier des mots tend à s'effacer complètement. Les contes de fées, qui comportent habituellement des éléments surnaturels, se rapprochent parfois des fables ; il en est ainsi des contes de Perrault. Le sens allégorique y est *explicité* au plus haut degré : nous le trouvons résumé, sous la forme de quelques vers, à la fin de chaque conte. Prenons, par exemple, *Riquet à la houppe*. C'est l'histoire d'un prince, intelligent mais fort laid, qui a le pouvoir de rendre aussi intelligents que lui les personnes de son choix ; une princesse, très belle mais bête, a reçu un don semblable en ce qui concerne la beauté. Le prince rend la princesse intelligente ; un an plus tard, après mainte hésitation, la princesse accorde la beauté au prince. Ce sont là des événements surnaturels ; mais à l'intérieur même du conte, Perrault nous suggère de prendre les mots dans un sens allégorique. « La princesse n'eut pas plus tôt prononcé ces paroles, que Riquet à la houppe parut, à ses yeux, l'homme du monde le plus beau, le mieux fait et le plus aimable qu'elle eût jamais vu. Quelques-uns assurent que ce ne furent point les charmes de la fée qui opérèrent, mais que l'amour seul fit cette métamorphose. Ils disent que la princesse, ayant fait réflexion sur la persévérance de son amant, sur sa discrétion et sur toutes les bonnes qualités de son esprit, ne vit plus la difformité de son corps ni la laideur de son visage ; que sa bosse ne lui sembla plus que le bon air d'un homme qui fait le gros dos, et qu'au lieu que jusqu'alors elle l'avait vu boiter effroyablement, elle ne lui trouva plus qu'un certain air penché qui la charmait. Ils disent encore que ses yeux qui étaient louches, ne lui en parurent que plus brillants ; que leur dérèglement passa dans son esprit pour la marque d'un violent accès d'amour, et qu'enfin son gros nez rouge eut pour elle quelque chose de martial et d'héroïque » (p. 252). Pour s'assurer qu'on l'a bien compris, Perrault ajoute encore à la fin une « Moralité » :

> *Ce que l'on voit dans cet écrit*
> *Est moins un conte en l'air que la vérité même.*
> *Tout est beau dans ce que l'on aime ;*
> *Tout ce qu'on aime a de l'esprit.*

Après ces indications, il ne reste évidemment plus de surnaturel : chacun de nous a reçu le même pouvoir de métamorphose et les fées n'y sont pour rien. L'allégorie est tout aussi évidente dans les autres contes de Perrault. Lui-même en était d'ailleurs parfaitement conscient, et dans les préfaces à ses recueils il traite principalement de ce problème du sens allégorique, qu'il considère comme essentiel (« la morale, chose principale dans toutes sortes de fables... », p. 22).

Il faut ajouter que le lecteur (réel et non implicite, cette fois) a parfaitement le droit de ne pas se soucier du sens allégorique indiqué par l'auteur et de lire le texte en y découvrant un sens tout autre. C'est ce qui se produit aujourd'hui avec Perrault : le lecteur contemporain est frappé par une symbolique sexuelle plutôt que par la morale défendue par l'auteur.

Le sens allégorique peut apparaître avec la même clarté dans des œuvres qui ne sont plus des contes de fées ou des fables mais des nouvelles « modernes ». *L'Homme à la cervelle d'or* d'Alphonse Daudet illustre ce cas. La nouvelle raconte les mésaventures d'une personne qui avait « le sommet de la tête et la cervelle en or » (p. 217-218, je cite la première édition d'après l'anthologie de Castex). Cette expression — « en or » — est employée au sens propre (et non au sens figuré d' « excellent ») ; toutefois, dès le début de la nouvelle, l'auteur suggère que le sens vrai est précisément le sens allégorique. Ainsi : « J'avouerai même que j'étais doué d'une intelligence qui surprenait les gens, et dont mes parents et moi nous avions seuls le secret. Qui n'eût été intelligent avec une cervelle riche comme la mienne ? » (p. 218). Cette cervelle d'or se révèle être très souvent le seul moyen, pour son possesseur, de se procurer l'argent nécessaire, à lui ou à ses proches ; et la nouvelle nous raconte comment la cervelle s'épuise ainsi peu à peu. Chaque fois qu'on fait un emprunt à l'or de la cervelle, l'auteur ne manque pas de nous suggérer la « véritable » signification d'un tel acte. « Ici, une affreuse objection se dressait devant moi : ce lambeau de cervelle que j'allais m'arracher, n'était-ce pas pour autant de l'intelligence dont je me privais ? » (p. 220). « Il me fallait de l'argent ; ma cervelle valait de l'argent, et ma foi, je dépensai ma cervelle » (p. 223). « Ce qui m'étonnait surtout, c'était la quantité de richesses contenues en ma cervelle et la peine que j'avais à les épuiser » (p. 224), etc. Le recours à la cervelle ne présente aucun danger physique, mais menace, en revanche, l'intelligence. Et, tout comme chez Perrault, on ajoute à la fin, pour le cas où le lecteur n'aurait pas encore compris l'allégorie : « Puis, tandis que je me désolais et que je pleurais toutes mes larmes, je vins à songer à tant de malheureux qui vivent de leur cervelle comme moi j'en avais vécu, à ces artistes, à ces gens de lettres sans fortune, obligés de faire du pain de leur intelligence, et je me dis que je ne devais pas être seul ici-bas à connaître les souffrances de l'homme à la cervelle d'or » (p. 225).

Dans ce type d'allégorie, le niveau du sens littéral a peu d'importance ; les invraisemblances qui s'y trouvent ne gênent pas, toute l'attention se portant sur l'allégorie. Ajoutons que, de nos jours, des récits de ce genre sont peu goûtés : l'allégorie explicite est considérée comme une sous-littérature (et il est difficile de ne pas voir dans cette condamnation une prise de position idéologique).

Avançons maintenant d'un degré. Le sens allégorique reste incontestable, mais il est indiqué par des moyens plus subtils que celui d'une « Moralité » placée en fin de texte. *La Peau de chagrin* offre ici un exemple. L'élément surnaturel, c'est la peau elle-même : d'abord par ses qualités physiques extraordinaires (elle résiste à toutes les expériences qu'on lui fait subir), ensuite et surtout par ses pouvoirs magiques sur la vie de son possesseur. La peau porte une inscription qui explique son pouvoir : elle est à la fois une image de la vie de son détenteur (sa surface correspond à la longueur de la vie) et un moyen pour lui de réaliser ses désirs ; mais à chaque désir exaucé, elle se rétracte un peu. Remarquons la complexité formelle de l'image : la peau est métaphore pour la vie, métonymie pour le désir et elle établit une relation de proportion inverse entre ce qu'elle figure ici et là.

La signification très précise que nous devons attribuer à la peau nous invite déjà à ne pas l'enfermer dans son sens littéral. D'autre part, plusieurs personnages du livre développent des théories où apparaît cette même relation inverse entre la longueur de la vie et la réalisation des désirs. Ainsi le vieil antiquaire qui remet la peau à Raphaël : « Ceci, dit-il d'une voix éclatante en montrant la peau de chagrin, est le *pouvoir* et le *vouloir* réunis. Là sont vos idées sociales, vos désirs excessifs, vos intempérances, vos joies qui tuent, vos douleurs qui font trop vivre » (p. 39). Cette même conception s'est trouvée défendue par Rastignac, ami de Raphaël, bien avant que la peau ne fasse son apparition. Rastignac soutient qu'au lieu de se suicider rapidement, on pourrait, plus agréablement, perdre sa vie dans les plaisirs ; le résultat serait le même. « L'intempérance, mon cher, est la reine de toutes les morts. Ne commande-t-elle pas à l'apoplexie foudroyante ? L'apoplexie est un coup de pistolet qui ne nous manque point. Les orgies nous procurent tous les plaisirs physiques ; n'est-ce pas l'opium en petite monnaie ? » etc. (p. 172). Rastignac dit au fond la même chose que signifie la peau de chagrin : la réalisation des désirs mène à la mort. Le sens allégorique de l'image est *indirectement* mais clairement indiqué.

A la différence de ce que nous avons vu du premier niveau de l'allégorie, le sens littéral ici ne se perd pas. La preuve en est que l'hésitation fantastique se maintient (et on sait que celle-ci se situe au niveau du sens littéral). L'apparition de la peau est préparée par une description de l'atmosphère étrange qui règne dans la boutique du vieil antiquaire ; par la suite, aucun des désirs de Raphaël ne se réalise d'une manière invraisemblable. Le festin qu'il demande avait déjà été organisé par ses amis ; l'argent lui vient sous la forme d'un héritage ; la mort de son adversaire, lors du duel, peut s'expliquer par la peur qui s'empare de ce dernier devant son calme à lui ; enfin, la mort de Raphaël est due, apparemment, à une phtisie, et non à des causes surnaturelles. Seules les propriétés extraordinaires de la peau confirment ouvertement l'intervention du merveilleux. Nous avons là un exemple où le fantastique est absent non à cause d'un manquement à la première condition (hésitation entre l'étrange et le merveilleux) mais de par le manque de la troisième : il est tué par l'allégorie, et une allégorie qui s'indique indirectement.

Même cas dans *Véra*. Ici l'hésitation entre les deux explications possibles, rationnelle et irrationnelle, est maintenue (l'explication rationnelle serait celle de la folie), en particulier par la présence simultanée de deux points de vue, celui du comte d'Athol et celui du vieux serviteur Raymond. Le comte croit (et Villiers de l'Isle-Adam veut faire croire au lecteur) qu'à force d'aimer et de vouloir, on peut vaincre la mort, on peut ressusciter l'être aimé. L'idée en est suggérée indirectement, maintes fois : « D'Athol, en effet, vivait absolument dans

l'inconscience de la mort de sa bien-aimée ! Il ne pouvait que la
trouver toujours présente, tant la forme de la jeune femme était
mêlée à la sienne » (p. 150). « C'était une négation de la Mort
élevée, enfin, à une puissance inconnue ! » (p. 151). « On eût
dit que la mort jouait de l'invisible comme une enfant. Elle se
sentait aimée tellement ! C'était bien *naturel* » (p. 151-152).
« Ah ! les Idées sont des êtres vivants !... Le comte avait creusé
dans l'air la forme de son amour, et il fallait bien que ce vide
fût comblé par le seul être qui lui fût homogène, autrement
l'Univers aurait croulé » (p. 154). Toutes ces formules indiquent
clairement le sens de l'événement surnaturel à venir, la résurrection de Véra.

Et le fantastique s'en trouve très affaibli ; d'autant que la nouvelle commence par une formule abstraite qui l'apparente, elle,
au premier groupe d'allégories ; « L'Amour est plus fort que
la Mort, a dit Salomon : oui, son mystérieux pouvoir est illimité » (p. 143). Tout le récit apparaît ainsi comme l'illustration
d'une idée ; et le fantastique en reçoit un coup fatal.

Un troisième degré dans l'affaiblissement de l'allégorie, on
le trouve dans le récit où le lecteur va jusqu'à *hésiter* entre interprétation allégorique et lecture littérale. Rien dans le texte
n'indique le sens allégorique ; néanmoins, ce sens reste possible.
Prenons quelques exemples. L' « Histoire du reflet perdu »,
contenue dans *la Nuit de Saint-Sylvestre* de Hoffmann, en offre
un. C'est l'histoire d'un jeune Allemand, Erasme Spikher qui,
lors d'un séjour en Italie, rencontre une certaine Giulietta dont
il tombe passionnément amoureux, oubliant sa femme et son
enfant qui l'attendent chez lui. Mais un jour il doit repartir ;
cette séparation le désespère et il en va de même pour Giulietta.
« Giulietta serra Erasme plus vivement contre son sein et dit à
voix basse : Laisse-moi ton image réfléchie par ce miroir, ô bien-
aimé, elle ne me quittera jamais. » Et, devant la perplexité
d'Erasme : « Tu ne m'accordes pas même ce rêve de ton *moi*, tel
qu'il brille dans cette glace, dit Giulietta, toi qui voulais être à
moi, corps et âme ? Tu ne veux pas même que ton image

reste avec moi et m'accompagne à travers cette vie qui sera dorénavant, je le sens bien, sans plaisir et sans amour, puisque tu
m'abandonnes ? Un torrent de larmes tomba des beaux yeux
noirs de Giulietta. Alors Erasme s'écria, transporté de douleur
et d'amour : Faut-il que je te quitte ? Eh bien ! que mon reflet
t'appartienne à jamais » (t. II, p. 226-227).

Chose dite, chose faite : Erasme perd son reflet. Nous sommes ici au niveau du sens littéral : Erasme ne voit absolument
plus rien quand il se regarde dans une glace. Mais peu à peu,
au cours des différentes aventures qui lui arrivent, une certaine
interprétation de l'événement surnaturel sera suggérée. Le reflet
s'identifie parfois à la dignité sociale ; ainsi au cours d'un
voyage, Erasme est accusé de ne pas avoir de reflet. « Dévoré
de rage et de honte, Erasme se sauva dans sa chambre ; mais
à peine y fut-il entré, qu'on lui vint signifier de par la police,
qu'il eût à se présenter dans l'espace d'une heure devant l'auto-
rité avec son reflet intact et parfaitement ressemblant, sinon,
qu'il eût à quitter la ville » (p. 230). De même, sa femme lui
déclarera plus tard : « Tu conçois d'ailleurs aisément que, sans
reflet, tu seras la risée de tout le monde, et que tu ne peux pas
être un père de famille complet et dans les formes, capable
d'inspirer du respect à sa femme et à ses enfants » (p. 235).
Que ces personnages ne s'étonnent pas autrement de l'absence
du reflet (ils trouvent cela plutôt malséant que surprenant)
nous fait supposer que cette absence ne doit pas être prise à la
lettre.

Dans le même temps, il nous est suggéré que le reflet désigne
simplement une partie de la personnalité (et dans ce cas, il n'y
aurait rien de surnaturel à le perdre). Erasme lui-même réagit
ainsi : « Il s'efforça de prouver qu'il était, à la vérité, absurde
de croire que l'on puisse perdre son reflet ; mais que, le cas
échéant, ce ne serait pas une grande perte, parce que tout
reflet n'est qu'une illusion, parce que la contemplation de soi-
même conduit droit à la vanité, et parce qu'enfin une semblable
image divise le véritable *moi* en deux parties : vérité et songe »

(p. 230-231). Voilà, semble-t-il, une indication quant au sens allégorique qu'il faut donner à ce reflet perdu ; mais elle demeure isolée, non soutenue par le reste du texte ; le lecteur a donc bien lieu d'hésiter avant de l'adopter.

William Wilson, de Poe, offre un exemple semblable, et à propos du même thème d'ailleurs. C'est l'histoire d'un homme persécuté par son double ; il est difficile de décider si ce double est un être humain en chair et en os, ou si l'auteur nous propose une parabole où le prétendu double n'est qu'une partie de sa personnalité, une sorte d'incarnation de sa conscience. En faveur de cette seconde interprétation témoigne, en particulier, la ressemblance tout à fait invraisemblable des deux hommes : ils portent le même nom ; ils sont nés à la même date ; entrés à l'école le même jour ; leur apparence et plus encore leur manière de marcher sont semblables. La seule différence importante — mais n'aurait-elle pas, elle aussi, une signification allégorique ? — est dans la voix : « Mon rival avait une faiblesse dans l'appareil vocal, qui l'empêchait de jamais élever la voix *au-dessus d'un chuchotement très bas* » (N.H.E., p. 46). Non seulement ce double apparaît, comme par magie, à tous les instants importants de la vie de William Wilson (« celui qui avait contrecarré mon ambition à Rome, ma vengeance à Paris, mon amour passionné à Naples, en Egypte ce qu'il appelait à tort ma cupidité », p. 58), mais il se laisse identifier par des attributs extérieurs dont l'existence est difficile à expliquer. Ainsi du manteau, au cours du scandale d'Oxford : « Le manteau que j'avais apporté était d'une fourrrure supérieure, — d'une rareté et d'un prix extravagant, inutile de le dire. La coupe était une coupe de fantaisie, de mon invention... Donc quand M. Preston me tendit celui qu'il avait ramassé par terre, auprès de la porte de la chambre, ce fut avec un étonnement voisin de la terreur que je m'aperçus que j'avais déjà le mien sur mon bras, où je l'avais sans doute placé sans y penser, et que celui qu'il me présentait en était l'exacte contrefaçon dans tous ses plus minutieux détails » (p. 56-57). La coïncidence est, on le voit, exceptionnelle ; à moins qu'on ne se dise qu'il n'y a peut-être pas deux manteaux mais un seul.

La fin de l'histoire nous pousse vers le sens allégorique. William Wilson provoque son double en duel et le blesse mortellement ; alors « l'autre », chancelant, lui adresse la parole : « Tu as vaincu, et je succombe. Mais dorénavant tu es mort aussi, — mort au Monde, au Ciel et à l'Espérance ! En moi tu existais —, et vois dans ma mort, vois par cette image qui est la tienne, comme tu t'es radicalement assassiné toi-même ! » (p. 60). Ces paroles semblent expliciter pleinement l'allégorie ; néanmoins, elles restent significatives et pertinentes au niveau littéral. On ne peut pas dire qu'il s'agisse là d'une pure allégorie ; nous sommes plutôt en face d'une hésitation du lecteur.

Le Nez de Gogol constitue un cas-limite. Ce récit n'observe pas la première condition du fantastique, l'hésitation entre réel et illusoire ou imaginaire, et se place donc d'emblée dans le merveilleux (un nez se détache du visage de son propriétaire et, devenu une personne, mène une vie indépendante ; ensuite, il revient à sa place). Mais plusieurs autres propriétés du texte suggèrent une perspective différente et celle en particulier, de l'allégorie. Ce sont d'abord les expressions métaphoriques qui réintroduisent le mot *nez* : on en fait un nom de famille (M. Monnez) ; on dit à Kovaliov, le héros de l'histoire, qu'on ne priverait pas de nez un homme comme il faut ; enfin, on transforme « prendre le nez » en « laisser avec le nez », expression idiomatique qui signifie « laisser pantois ». Le lecteur a donc quelque raison de se demander si, ailleurs aussi, le *nez* n'a pas un autre sens que son sens littéral. De plus, le monde que décrit Gogol n'est nullement un monde du merveilleux, comme on pourrait s'y attendre ; c'est, au contraire, la vie de Saint-Pétersbourg dans ses détails les plus quotidiens. Les éléments surnaturels ne seraient donc pas là pour évoquer un univers différent du nôtre ; on est dès lors tenté de leur chercher une interprétation allégorique.

Mais, arrivé à ce point, le lecteur, perplexe, s'arrête. L'interprétation psychanalytique (la disparition du nez signifie, nous dit-on, la castration), même si elle était satisfaisante, ne serait pas de sens allégorique : rien dans le texte ne nous y invitant explicitement. De plus, la transformation du nez en une personne ne serait pas expliquée. Et de même pour l'allégorie sociale (le nez perdu vaut ici le reflet perdu, chez Hoffmann) : il y a, c'est vrai, davantage d'indications en sa faveur, mais elle ne rend pas mieux compte de la transformation centrale. Par ailleurs, le lecteur a devant les événements une impression de gratuité qui contredit à une exigence de sens allégorique. Ce sentiment contradictoire s'accuse avec la conclusion : l'auteur s'y adresse directement au lecteur, rendant ainsi explicite cette fonction du lecteur, inhérente au texte, et facilitant par là même l'apparition d'un sens allégorique ; mais, en même temps, ce qu'il affirme, c'est que ce sens ne peut être trouvé. « Mais le plus étrange, le plus inexplicable, c'est que des auteurs puissent choisir de tels sujets. (...) En premier lieu, le pays n'en retire aucun avantage ; en second lieu... mais en second lieu il n'en retire aucun avantage non plus » (p. 112). L'impossibilité d'attribuer un sens allégorique aux éléments surnaturels du conte nous renvoie au sens littéral. A ce niveau, *le Nez* devient l'incarnation pure de l'absurde, de l'impossible : même si l'on acceptait les métamorphoses, on ne pourrait expliquer l'absence de réaction des personnages qui en sont témoins. Ce que Gogol affirme est précisément le non-sens.

Le Nez pose donc doublement le problème de l'allégorie : d'une part il montre qu'on peut susciter l'impression qu'il y a un sens allégorique qui reste, en fait, absent ; et d'autre part, à conter les métamorphoses d'un nez, il conte les aventures mêmes de l'allégorie. Par ces propriétés (et quelques autres), *le Nez* annonce ce que deviendra la littérature du surnaturel au XXᵉ siècle (cf. chapitre X).

Résumons notre exploration. On a distingué plusieurs degrés, de l'allégorie évidente (Perrault, Daudet) à l'allégorie illusoire (Gogol), en passant pas l'allégorie indirecte (Balzac, Villiers de l'Isle-Adam) et l'allégorie « hésitante » (Hoffmann, Edgar Poe). Dans chaque cas, le fantastique se trouve remis en question. Il faut insister sur le fait qu'on ne peut parler d'allégorie à moins d'en trouver des indications explicites à l'intérieur du texte. Sinon, on passe à la simple interprétation du lecteur ; et dès lors il n'existerait pas de texte littéraire qui ne soit allégorique, car c'est le propre de la littérature d'être interprétée et réinterprétée par ses lecteurs, sans fin.

5

Le discours fantastique

*Pourquoi notre travail n'est pas terminé. - Le dis-
cours figuré. — Le merveilleux hyperbolique. —
Et celui qui vient du sens littéral des figures. -
Les figures comme paliers vers le surnaturel. - Le
narrateur représenté. - Il facilite l'identification. -
Il est improbable mais possible que son discours
soit faux. - La gradation, non-obligatoire. - Mais
l'irréversibilité de la lecture, obligatoire. - Histoires fantastiques, romans policiers et mots d'esprit.*

Nous venons de situer le fantastique par rapport à deux autres
genres, la poésie et l'allégorie. Toute fiction, tout sens littéral
ne sont pas liés au fantastique ; mais tout fantastique est lié à la
fiction et au sens littéral. Ceux-ci sont donc des conditions
nécessaires pour l'existence du fantastique.

On peut tenir à présent la définition du fantastique pour
complète et explicite. Que reste-t-il à faire, lorsqu'on étudie un
genre ? Pour répondre à cette question, il faut se rappeler
une des prémisses de notre analyse, brièvement mentionnée
dans la discussion initiale. Nous postulons que tout texte littéraire fonctionne à la manière d'un système ; ce qui veut dire
qu'il existe des relations nécessaires et non arbitraires entre
les parties constitutives de ce texte. Cuvier, on s'en souvient,
avait suscité l'admiration de ses contemporains, en reconstrui-
sant l'image d'un animal à partir de l'unique vertèbre dont il
disposait. Connaissant la structure de l'œuvre littéraire, on
devrait pouvoir, à partir de la connaissance d'un seul trait,
reconstruire tous les autres. L'analogie est d'ailleurs valable
précisément au niveau du genre : Cuvier, lui aussi, prétendait
définir l'espèce, non l'animal individuel.

Admis ce postulat, il est facile de comprendre pourquoi notre travail n'est pas terminé. Il n'est pas possible qu'un des traits de l'œuvre soit fixé sans que tous les autres en soient influencés. Il faut donc découvrir comment le choix de ce trait affecte les autres, mettre au jour ses répercussions. Si l'œuvre littéraire forme véritablement une structure, il faut que nous trouvions, à tous les niveaux, des conséquences de cette perception ambiguë du lecteur par quoi se caractérise le fantastique.

En posant cette exigence, nous devons en même temps nous garder des excès où se sont laissé entraîner plusieurs auteurs traitant du fantastique. Certains ont ainsi présenté *tous* les traits de l'œuvre comme obligatoires, en allant parfois jusqu'aux moindres détails. Dans le livre de Penzoldt sur le fantastique, on trouve par exemple une description minutieuse du roman noir (elle ne se prétend d'ailleurs pas originale). Penzoldt précise jusqu'à l'existence des trappes et catacombes, mentionne le décor moyenâgeux, la passivité du fantôme, etc. De tels détails peuvent être historiquement vrais et il n'est pas question de nier l'existence d'une organisation au niveau du « signifiant » littéraire premier ; mais il est difficile (tout au moins, dans l'état actuel de nos connaissances) de leur trouver une justification théorique ; on doit les étudier à propos de chaque œuvre particulière, et non dans la perspective du genre. Nous nous limiterons ici uniquement aux traits assez généraux, dont nous pouvons donner la raison structurale. On n'accordera pas, de plus, la même attention à tous les aspects : nous passerons brièvement en revue quelques traits de l'œuvre qui relèvent de ses aspects verbal et syntaxique, alors que l'aspect sémantique nous retiendra jusqu'à la fin de notre recherche.

Commençons par trois propriétés qui montrent particulièrement bien comment se réalise l'unité structurale. La première relève de l'énoncé, la seconde de l'énonciation (donc toutes deux, de l'aspect verbal) ; la troisième, de l'aspect syntaxique.

I. Le premier trait relevé est un certain emploi du discours figuré. Le surnaturel naît souvent de ce qu'on prend le sens figuré à la lettre. En fait, les figures rhétoriques sont liées au fantastique de plusieurs manières, et nous devons distinguer ces relations.

On a déjà parlé de la première, à propos du merveilleux hyperbolique dans *les Mille et une nuits*. Le surnaturel peut parfois trouver sa source dans l'image figurée, en être le dernier degré ; ainsi des immenses serpents ou oiseaux dans les récits de Sindbad : on glisse, alors, de l'hyperbole au fantastique. On rencontre dans *Vathek*, de Beckford, un emploi systématique de ce procédé : le surnaturel y apparaît comme un prolongement de la figure rhétorique. Voici quelques exemples tirés de la description de la vie dans le palais de Vathek. Ce calife offre une forte récompense à celui qui déchiffrera une inscription ; mais, pour écarter les incapables, il décide de punir ceux qui ne réussissent pas, en leur brûlant la barbe « jusqu'au moindre poil ». Quel est le résultat ? « Les savants, les demi-savants et tous ceux qui n'étaient ni l'un ni l'autre, mais qui croyaient être tout, vinrent courageusement hasarder leur barbe, et tous la perdirent. Les eunuques ne faisaient autre chose que de brûler des barbes ; ce qui leur donnait une odeur de roussi, dont les femmes du sérail se trouvèrent si incommodées, qu'il fallut offrir cet emploi à d'autres » (p. 78-79).

L'exagération conduit au surnaturel. Voici un autre passage : le calife est condamné par le diable à avoir toujours soif ; Beckford ne se contente pas de dire que le calife engloutit beaucoup de liquide, mais évoque une quantité d'eau qui nous mène au surnaturel. « Une soif surnaturelle [!] le consuma ; et sa bouche, ouverte comme un entonnoir, recevait jour et nuit des torrents de liquide » (p. 80). « Chacun s'empressait de remplir de grandes coupes de cristal de roche, et les lui présentait à l'envi ; mais leur zèle ne répondait pas à son avidité ; souvent il se couchait par terre, pour laper l'eau » (p. 81).

L'exemple le plus éloquent est celui de l'Indien qui se transforme en boule. La situation est la suivante : l'Indien, qui est un sous-diable travesti, a participé au repas du calife ; mais il se conduit si mal que Vathek ne se retient plus : « D'un coup de pied, il le jette de l'estrade, le suit et le frappe avec une rapidité qui excite tout le Divan à l'imiter. Tous les pieds sont en l'air : on ne lui a pas donné un coup, qu'on se sent forcé à redoubler.

L'Indien prêtait beau jeu. Comme il était court, il s'était ramassé en boule, et roulait sous les coups de ses assaillants, qui le suivaient partout avec un acharnement inouï. Roulant ainsi d'appartement en appartement, de chambre en chambre, la boule attirait après elle tous ceux qu'elle rencontrait » (p. 84). Ainsi, de l'expression « se ramasser en boule », on passe à une véritable métamorphose (comment se représenter, sinon, ce roulement d'appartement en appartement ?), et la poursuite prend peu à peu des proportions gigantesques. « Après avoir ainsi parcouru les salles, les chambres, les cuisines, les jardins et les écuries du palais, l'Indien prit enfin le chemin des cours. Le Calife, plus acharné que les autres, le suivait de près, et lui lançait autant de coups de pieds qu'il pouvait : son zèle fut cause qu'il reçut lui-même quelques ruades adressées à la boule. (...) Il suffisait de voir cette infernale boule pour être attiré après elle. Les Muezzins eux-mêmes, quoiqu'ils ne la vissent que de loin, descendirent de leurs minarets, et se joignirent à la foule. Elle augmenta au point que, bientôt, il ne resta dans les maisons de Samarah que des paralytiques, des culs-de-jatte, des mourants et des enfants à la mamelle dont les nourrices s'étaient débarrassées pour courir plus vite. (...) Enfin, le maudit Indien, sous cette forme de boule, après avoir parcouru les rues, les places publiques, laissa la ville déserte, prit la route de la plaine de Catoul, et enfila une vallée au pied de la montagne des quatre sources » (p. 87).

Cet exemple nous introduit déjà à une seconde relation des figures rhétoriques avec le fantastique : lequel réalise alors le

sens *propre* d'une expression *figurée*. Nous en avons vu un
exemple avec le début de *Véra* : le récit prendra à la lettre
l'expression « l'amour est plus fort que la mort ». Le même procédé existe chez Potocki. Voici un épisode de l'histoire de Landulphe de Ferrara : « La pauvre femme était avec sa fille, et
allait se mettre à table. Lorsqu'elle vit entrer son fils, elle lui
demanda si Blanca viendrait souper [or celle-ci, maîtresse de
Landulphe, vient d'être assassinée par le frère de la mère].
— Puisse-t-elle venir, dit Landulphe, et te mener en enfer,
avec ton frère et toute ta famille des Zampi ! La pauvre mère
tomba à genoux et dit : — Oh ! mon Dieu ! pardonnez-lui ses
blasphèmes. Dans ce moment, la porte s'ouvrit avec fracas,
et l'on vit entrer un spectre hâve, déchiré de coups de poi-
gnards, et conservant néanmoins avec Blanca une affreuse
ressemblance » (p. 94). Ainsi, le simple juron, dont le sens premier n'est plus perçu habituellement, se trouve ici pris à la
lettre.

Mais c'est un troisième emploi des figures de rhétorique
qui nous intéressera le plus : dans les deux cas précédents, la
figure était la source, l'origine de l'élément surnaturel ; la
relation entre eux était diachronique ; dans le troisième cas, la
relation est *synchronique* : la figure et le surnaturel sont présents au même niveau et leur relation est fonctionnelle, non
« étymologique ». Ici l'apparition de l'élément fantastique est
précédée par une série de comparaisons, d'expressions figurées
ou simplement idiomatiques, très courantes dans le langage
commun, mais qui désignent, si on les prend à la lettre, un événement surnaturel : celui précisément qui surviendra à la
fin de l'histoire. On en a vu des exemples dans *le Nez* ; ils
sont d'ailleurs innombrables. Prenons *la Vénus d'Ille* de Mérimée. L'événement surnaturel a lieu quand une statue s'anime
et tue dans son étreinte un nouveau marié qui a eu l'imprudence
de lui laisser au doigt sa bague de mariage. Voici comment le
lecteur est « conditionné » par les expressions figurées qui pré-
cèdent l'événement. Un des paysans décrit la statue : « Elle

vous fixe avec ses grands yeux blancs... On dirait qu'elle vous dévisage » (p. 145). Dire des yeux d'un portrait qu'ils paraissent vivants est une banalité ; mais ici cette banalité nous prépare à une « animation » réelle. Plus loin, le nouveau marié explique pourquoi il ne veut envoyer personne chercher la bague laissée au doigt de la statue : « D'ailleurs que penserait-on ici de ma distraction ? (...) Ils m'appelleraient le mari de la statue... » (p. 166). A nouveau, simple expression figurée ; mais à la fin de l'histoire, la statue se comportera en effet comme si elle était l'épouse d'Alphonse. Et après l'accident, voici comment le narrateur décrit le corps mort d'Alphonse : « J'écartai sa chemise et vit sur sa poitrine une empreinte livide qui se prolongeait sur les côtes et le dos. On eût dit qu'il était étreint dans un cercle de fer » (p. 173) ; « on eût dit » : or c'est précisément ce que l'interprétation surnaturelle nous suggère. De même, encore dans le récit que fait la jeune mariée après la nuit fatale : « Quelqu'un entra. (...) Au bout d'un instant, le lit cria comme s'il était chargé d'un poids énorme » (p. 175). A chaque fois, on le voit, l'expression figurée est introduite par une formule modalisante : « on dirait », « ils m'appelleraient », « on eût dit », « comme si ».

Ce procédé n'est nullement propre à Mérimée ; on le trouve chez presque tous les auteurs du fantastique. Ainsi dans *Inès de las Sierras*, Nodier décrit l'apparition d'un être étrange que nous devons prendre pour un spectre : « Il ne restait rien dans cette physionomie qui appartînt à la terre... » (p. 682). S'il s'agit vraiment d'un spectre, ce doit être celui qui, dans la légende, punit ses ennemis en posant sur leur cœur une main brûlante. Que fait précisément Inès ? « Voilà qui est bien, dit Inès, en jetant un de ses bras autour du cou de Sergy (un des assistants), et en posant de temps à autre sur son cœur une main aussi incendiaire que celle dont nous avait parlé la légende d'Estéban » (p. 687) ; la comparaison est doublée d'une « coïncidence ». La même Inès, spectre en puissance, ne s'en tient pas là : « Merveille ! ajouta-t-elle tout à coup. Quelque démon favorable a glissé des castagnettes dans ma ceinture... » (p. 689).

Même procédé dans *Véra*, de Villiers de l'Isle-Adam : « En eux, l'esprit pénétrait si bien le corps, que leurs formes leur semblaient intellectuelles... » (p. 147). « Les perles étaient encore tièdes et leur orient plus adouci, comme par la chaleur de la chair [...]. Ce soir l'opale brillait comme si elle venait d'être quittée... » (p. 152) : les deux suggestions de la résurrection sont introduites par des « comme ».

Même procédé chez Maupassant : dans *la Chevelure*, le narrateur découvre une tresse de cheveux dans le tiroir secret d'un bureau ; bientôt il aura l'impression que cette chevelure n'est pas coupée mais que la femme à laquelle elle appartient est également présente. Voici comment se prépare cette apparition : « Un objet... vous séduit, vous trouble, vous envahit comme ferait un visage de femme. » Encore : « On le [le bibelot] caresse de l'œil et de la main comme s'il était de chair ; [...] on va le contempler avec une tendresse d'amant » (p. 142). Nous sommes préparés ainsi à l'amour « anormal » que portera le narrateur à cet objet inanimé, la chevelure ; et remarquons encore l'emploi du « comme si ».

Dans *Qui sait ?* : « Le gros tas d'arbres avait l'air d'un tombeau où ma maison était ensevelie » (p. 96) : nous voilà introduits d'emblée dans l'atmosphère sépulcrale de la nouvelle. Ou plus tard : « J'avançais comme un chevalier des époques ténébreuses pénétrait en un séjour de sortilèges » (p. 104) ; or, c'est précisément dans un royaume de sortilèges que nous entrons à ce moment. Le nombre et la variété des exemples montrent clairement qu'il ne s'agit pas d'un trait de style individuel mais d'une propriété liée à la structure du genre fantastique.

Les différentes relations observées entre fantastique et discours figuré s'éclairent l'une l'autre. Si le fantastique se sert sans cesse des figures rhétoriques, c'est qu'il y a trouvé son ori-

gine. Le surnaturel naît du langage, il en est à la fois la conséquence et la preuve : non seulement le diable et les vampires
n'existent que dans les mots, mais aussi seul le langage permet
de concevoir ce qui est toujours absent : le surnaturel. Celui-
ci devient donc un symbole du langage, au même titre que les
figures de rhétorique, et la figure est, on l'a vu, la forme la plus
pure de la littéralité.

II. L'emploi du discours figuré est un trait de l'énoncé ;
passons maintenant à l'énonciation, et plus exactement au problème du narrateur, pour observer une deuxième propriété
structurale du récit fantastique. Dans les histoires fantastiques,
le narrateur dit habituellement « je » : c'est un fait empirique
que l'on peut vérifier facilement. *Le Diable amoureux*, le *Manuscrit trouvé à Saragosse*, *Aurélia*, les contes de Gautier, ceux
de Poe, *la Vénus d'Ille*, *Inès de las Sierras*, les nouvelles de Maupassant, certains récits d'Hoffmann : toutes ces œuvres se
conforment à la règle. Les exceptions sont presque toujours des
textes qui, de plusieurs autres points de vue, s'éloignent du fantastique.

Pour bien comprendre ce fait, nous devons revenir à l'une
de nos prémisses, et qui concerne le statut du discours littéraire.
Bien que les phrases du texte littéraire aient le plus souvent une
forme assertive, ce ne sont pas de véritables assertions, car
elles ne satisfont pas à une condition essentielle : l'épreuve de
vérité. Autrement dit, lorsqu'un livre commence par une phrase
comme « Jean était dans la chambre couché sur son lit » nous
n'avons pas le droit de nous demander si cela est vrai ou faux ;
une telle question n'a pas de sens. Le langage littéraire est un
langage conventionnel où l'épreuve de vérité est impossible :
la vérité est une relation entre les mots et les choses que ceux-
ci désignent ; or, en littérature, ces « choses » n'existent pas. En
revanche, la littérature connaît une exigence de validité ou de
cohérence interne : si à la page suivante du même livre imaginaire, on nous dit qu'il n'y a aucun lit dans la chambre de

Jean, le texte ne répond pas à l'exigence de cohérence, et par là même fait de celle-ci un problème, l'introduit dans sa thématique. Ceci n'est pas possible pour la vérité. Il faut également se garder de confondre le problème de la vérité avec celui de la représentation : *seule* la poésie refuse la représentation, mais *toute* la littérature échappe à la catégorie du vrai et du faux.

Il convient toutefois d'introduire ici encore une distinction à l'intérieur même de l'œuvre : en fait seul ce qui dans le texte est donné au nom de l'auteur échappe à l'épreuve de vérité ; la parole des personnages, elle, peut être vraie ou fausse, comme dans le discours quotidien. Le roman policier, par exemple, joue constamment sur les faux témoignages des personnages. Le problème devient plus complexe dans le cas d'un narrateur-personnage, d'un narrateur qui dit « je ». En tant que narrateur, son discours n'est pas à soumettre à l'épreuve de vérité ; mais en tant que personnage, il peut mentir. Ce double jeu a été exploité, on le sait, dans un des romans d'Agatha Christie, *le Meurtre de Roger Ackroyd,* où le lecteur ne soupçonne jamais le narrateur, oubliant que celui-ci est aussi un personnage.

Le narrateur représenté convient donc parfaitement au fantastique. Il est préférable au simple personnage, lequel peut facilement mentir, comme nous le verrons sur quelques exemples. Mais il est également préférable au narrateur non représenté, et cela pour deux raisons. D'abord, si l'événement surnaturel nous était rapporté par un tel narrateur nous serions aussitôt dans le merveilleux : il n'y aurait pas lieu, en effet, de douter de ses paroles ; mais le fantastique, nous le savons, exige le doute. Ce n'est pas un hasard si les contes merveilleux usent rarement de la première personne (ainsi, ni les *Mille et une nuits,* ni les contes de Perrault, ni ceux d'Hoffmann, ni *Vathek*) : ils n'en ont pas besoin, leur univers surnaturel ne doit pas éveiller de doutes. Le fantastique nous met devant un dilemme : croire ou pas ? Le merveilleux réalise cette union impossible, proposant au lecteur de croire sans croire vraiment. En deuxième lieu et ceci se lie à la définition même du fantastique, la première personne « racontante » est celle qui permet le plus aisément l'identification du lecteur au personnage, puisque, comme on sait, le pronom « je » appartient à tous. En outre, pour faciliter l'identification, le narrateur sera un « homme moyen », en qui tout (ou presque) lecteur peut se reconnaître. Ainsi pénètre-t-on de la manière la plus directe possible dans l'univers fantastique. L'identification que nous évoquons ne doit pas être prise pour un jeu psychologique individuel : c'est un mécanisme intérieur au texte, une inscription structurale. Evidemment, rien n'empêche le lecteur réel de garder toutes ses distances par rapport à l'univers du livre.

Quelques exemples prouveront l'efficacité de ce procédé. Tout le « suspense » d'une nouvelle comme *Inès de las Sierras* repose sur le fait que les événements inexplicables sont racontés par quelqu'un qui est à la fois un des héros de l'histoire, et le narrateur : c'est un homme comme les autres, sa parole est doublement digne de confiance ; autrement dit, les événements sont surnaturels, le narrateur est naturel : voici d'excellentes conditions pour que le fantastique apparaisse. De même dans *la Vénus d'Ille* (où l'on penche plutôt vers le fantastique-merveilleux, alors qu'on était dans le fantastique-étrange chez Nodier) : si le fantastique apparaît, c'est que précisément les indices du surnaturel (les marques de l'étreinte, les bruits de pas dans l'escalier et, surtout, la découverte de la bague dans la chambre à coucher) sont observés par le narrateur lui-même, un archéologue digne de confiance, tout pénétré des certitudes de la science. Le rôle joué dans ces deux nouvelles par le narrateur rappelle un peu celui de Watson, dans les romans de Conan Doyle, ou celui de ses nombreux avatars : témoins plus qu'acteurs, en lesquels il est possible à tout lecteur de se reconnaître.

Donc, dans *Inès de las Sierras* comme dans *la Vénus d'Ille*, le narrateur-personnage facilite l'*identification* ; d'autres exemples illustrent la première fonction que nous avons décelée :

authentifier ce qui est raconté, sans être obligé pour autant d'accepter définitivement le surnaturel. Ainsi cette scène du *Diable amoureux* où Soberano fait preuve de ses pouvoirs magiques : « Il élève la voix : Caldéron, dit-il, venez chercher ma pipe, allumez-la, et rapportez-la-moi. Il finissait à peine le commandement, je vois disparaître la pipe ; et, avant que j'eusse pu raisonner sur les moyens, ni demander quel était ce Caldéron chargé de ses ordres, la pipe allumée était de retour, et mon interlocuteur avait repris son occupation » (p. 110-111).

De même dans *Un fou ?* de Maupassant. « Il y avait sur ma table une sorte de couteau-poignard dont je me servais pour couper les feuillets des livres. Il allongea sa main vers lui. Elle semblait ramper, s'approchait lentement ; et tout d'un coup je vis, oui, je vis le couteau lui-même tressaillir, puis il remua, puis il glissa doucement, tout seul, sur le bois, vers la main arrêtée qui l'attendait, et il vint se placer sous ses doigts. Je me mis à crier de terreur » (p. 135).

Dans chacun de ces exemples, nous ne doutons pas du témoignage du narrateur ; nous cherchons plutôt, avec lui, une explication rationnelle à ces faits bizarres.

Le personnage peut mentir, le narrateur ne le devrait pas : telle est la conclusion qu'on pourrait tirer du roman de Potocki. Nous disposons de deux récits sur un même événement, la nuit passée par Alphonse avec ses deux cousines : celui d'Alphonse, qui ne contient pas d'éléments surnaturels ; et celui de Pascheco, qui voit les deux cousines se transformer en cadavres. Mais alors que le récit d'Alphonse ne peut (presque) pas être faux, celui de Pascheco pourrait n'être que mensonges, comme Alphonse le soupçonne (avec raison, nous l'apprendrons plus tard). Ou encore, Pascheco aurait pu avoir des visions, être fou, etc. ; mais non Alphonse, pour autant qu'il se confond avec l'instance toujours « normale » du narrateur.

Les nouvelles de Maupassant illustrent les différents degrés de confiance que nous accorderons aux récits. On peut en distinguer deux, selon que le narrateur est extérieur à l'histoire ou en est un des agents principaux. Extérieur, il peut ou non authentifier lui-même les dires du personnage, et le premier cas rend le récit plus convaincant, comme dans l'extrait cité d'*Un fou ?*. Sinon, le lecteur sera tenté d'expliquer le fantastique par la folie, comme dans *la Chevelure* et dans la première version du *Horla* ; d'autant que le cadre du récit est chaque fois une maison de santé.

Mais dans ses meilleures nouvelles fantastiques — *Lui ?*, *la Nuit*, *le Horla*, *Qui sait ?* — Maupassant fait du narrateur le héros même de l'histoire (c'est le procédé d'Edgar Poe et de beaucoup d'autres après lui). L'accent est alors mis sur le fait qu'il s'agit du discours d'un personnage plus que d'un discours de l'auteur : la parole est sujette à caution, et nous pouvons bien supposer que tous ces personnages sont des fous ; toutefois, du fait qu'ils ne sont pas introduits par un discours distinct du narrateur, nous leur prêtons encore une paradoxale confiance. On ne nous dit pas que le narrateur ment et la possibilité qu'il mente, en quelque sorte structuralement nous choque ; mais cette possibilité existe (puisqu'il est aussi personnage), et — l'hésitation peut naître chez le lecteur.

Résumons : le narrateur représenté convient au fantastique, car il facilite la nécessaire identification du lecteur avec les personnages. Le discours de ce narrateur a un statut ambigu, et les auteurs l'ont exploité différemment, mettant l'accent sur l'un ou l'autre de ses aspects : appartenant au narrateur, le discours est en deçà de l'épreuve de vérité ; appartenant au personnage, il doit se soumettre à l'épreuve.

III. Le troisième trait de la structure de l'œuvre qui nous intéresse ici se rapporte à son aspect syntaxique. Sous le nom de *composition* (ou même de « structure » pris en un sens très pauvre), cet aspect du récit fantastique a souvent retenu l'attention des critiques ; nous en trouvons une étude assez complète dans le livre de Penzoldt, qui y consacre un chapitre entier. Voici, en résumé, la théorie de Penzoldt : « La structure de l'histoire de fantômes idéale, écrit-il, peut être représentée comme une ligne ascendante, qui mène au point culminant. (...) Le point culminant d'une histoire de fantômes est évidemment l'apparition du spectre (p. 16). La plupart des auteurs essaient d'atteindre une certaine gradation, en visant le point culminant, d'abord d'une manière vague, ensuite de plus en plus directement » (p. 23). Cette théorie de l'intrigue dans le récit fantastique est en fait dérivée de celle que Poe avait proposée pour la nouvelle en général. Pour Edgar Poe, la nouvelle se caractérise par l'existence d'un effet unique, situé à la fin de l'histoire ; et par l'obligation pour tous les éléments de la nouvelle de contribuer à cet effet. « Dans toute l'œuvre, il ne devrait pas y avoir un seul mot d'écrit qui ne tende directement ou indirectement à réaliser ce dessein préétabli » (cité par Eikhenbaum, p. 207).

Il est possible de trouver des exemples confirmant cette règle. Prenons *la Vénus d'Ille* de Mérimée. L'effet final (ou le point culminant, selon les termes de Penzoldt) réside dans l'animation de la statue. Dès le début, différents détails nous préparent à cet événement ; et du point de vue du fantastique, ces détails forment une parfaite gradation. Comme on vient de le voir, dès les premières pages un paysan rapporte au narrateur la découverte de la statue et caractérise celle-ci comme un être vivant (elle est « méchante », « elle vous dévisage »). On nous décrit ensuite la vérité de son aspect pour conclure à « une certaine illusion qui rappelait la réalité, la vie ». En même temps se développent les autres thèmes du récit : le mariage profanatoire d'Alphonse, les formes voluptueuses de la statue. Ensuite, vient l'histoire de la bague, laissée par hasard à l'annulaire de la Vénus : Alphonse ne parvient plus à la retirer. « La Vénus a serré le doigt », affirme-t-il, pour conclure ensuite : « c'est ma femme, apparemment ». A partir de là, on est confronté au surnaturel, bien qu'il reste en dehors du champ de notre vision : ce sont les pas qui font craquer l'escalier, « le lit dont le bois était brisé », les marques sur le corps d'Alphonse, la bague retrouvée dans sa chambre, « quelques pas profondément imprimés dans la terre », le récit de la mariée, enfin la preuve que les explications rationnelles ne sont pas satisfaisantes. L'apparition finale a donc été soigneusement préparée, et l'animation de la statue suit une gradation régulière : d'abord elle a eu simplement l'air d'un être vivant, ensuite un personnage affirme qu'elle a serré le doigt, à la fin elle semble avoir tué ce même personnage. *Inès de las Sierras*, de Nodier, se développe selon une gradation semblable.

Mais d'autres nouvelles fantastiques ne comportent pas pareille gradation. Prenons *la Morte amoureuse*, de Gautier. Jusqu'à la première apparition de Clarimonde en rêve, il y a une certaine gradation, encore qu'imparfaite ; mais ensuite, les événements qui surviennent ne sont ni plus ni moins surnaturels — jusqu'au dénouement, qui est la décomposition du cadavre de Clarimonde. De même pour les nouvelles de Maupassant : le point culminant du fantastique, dans *le Horla*, n'est nullement la fin, mais plutôt la première apparition. *Qui sait ?* offre encore une autre organisation : il n'y a en fait ici aucune préparation au fantastique avant sa brusque intrusion (ce qui le précède est plutôt une analyse psychologique indirecte du narrateur) ; ensuite se produit l'événement : les meubles quittent tout seuls la maison. Puis l'élément surnaturel disparaît pendant un certain temps ; réapparaît, mais affaibli, pendant la découverte des meubles dans le magasin d'antiquités ; et reprend tous ses droits peu avant la fin, lors du retour des meubles dans la maison. La fin elle-même, cependant, ne contient plus aucun élément surnaturel ; elle est néanmoins ressentie par le lecteur comme un point culminant. Penzoldt relève d'ailleurs une construction semblable dans une de ses analyses, et conclut : « On peut représenter la structure de ces contes non comme l'habituelle ligne ascendante qui mène à un point culminant unique, mais comme une ligne droite horizontale

qui, après avoir monté brièvement pendant l'introduction, reste
fixe à un niveau juste au-dessous de celui du point culminant
habituel » (p. 129). Mais une telle remarque invalide évidemment la généralité de la loi précédente. Notons au passage la
tendance, commune à tous les critiques formalistes, de représenter la structure de l'œuvre selon une figure spatiale.

Ces analyses nous mènent à la conclusion suivante : il existe
bien véritablement un trait du récit fantastique qui est obligatoire, mais il est plus général que ne le présentait initiale-
ment Penzoldt ; et il ne s'agit pas d'une gradation. D'autre part,
il faut expliquer pourquoi ce trait est nécessaire au genre fantastique.

Revenons une fois encore à notre définition. Le fantastique,
à la différence de beaucoup d'autres genres, comporte de
nombreuses indications sur le rôle que le lecteur aura à jouer
(ce qui ne veut pas dire que tout texte ne le fait pas). Nous avons
vu que cette propriété relève, plus généralement, du procès
d'énonciation, tel qu'il est présenté à l'intérieur même du texte.
Une autre constituante importante de ce procès est sa temporali-
lité : toute œuvre contient une indication quant au temps de
sa perception ; le récit fantastique, qui marque fortement le
procès d'énonciation, met en même temps l'accent sur ce temps
de la lecture. Or, la caractéristique première de ce temps est
d'être par convention irréversible. Tout texte comporte une
indication implicite : c'est qu'il faut le lire de son début à sa
fin, du haut de la page vers le bas. Cela ne veut pas dire qu'il
n'existe pas des textes qui nous obligent à modifier cet ordre ;
cette modification prend tout son sens précisément par rapport
à la convention qu'implique la lecture de gauche à droite. Le
fantastique est un genre qui accuse cette convention plus nettement que les autres.

On doit lire un roman ordinaire (non fantastique), un roman
de Balzac par exemple, du commencement à la fin ; mais si, par
caprice, on lit le cinquième chapitre avant le quatrième, la perte

subie n'est pas aussi grande que s'il s'agissait d'un récit fantastique. Si l'on connaît d'emblée la fin d'un tel récit, tout le jeu est
faussé, car le lecteur ne peut plus suivre pas à pas le processus
d'identification ; or, c'est la première condition du genre. Il
ne s'agit d'ailleurs pas nécessairement d'une gradation, même si
cette figure, qui implique l'idée de temps, est fréquente :
dans *la Morte amoureuse* comme dans *Qui sait ?* il y a irréversibilité du temps sans gradation.

De là que la première et la seconde lecture d'un conte fantastique donnent des impressions très différentes (beaucoup
plus que pour un autre type de récit) ; en fait, à la seconde lecture, l'identification n'est plus possible, la lecture devient iné-
vitablement méta-lecture : on relève les procédés du fantastique
au lieu d'en subir les charmes. Nodier, qui le savait, faisait dire
au narrateur d'*Inès de las Sierras* à la fin de l'histoire : « Je
ne suis pas capable de lui prêter assez d'attrait pour la faire
écouter deux fois » (p. 715).

Remarquons enfin que le récit fantastique n'est pas le seul à
mettre ainsi l'accent sur le temps de perception de l'œuvre : le
roman policier à énigme le marque plus encore. Puisqu'il y a
une vérité à découvrir, nous serons mis en face d'une chaîne
rigoureuse dont on ne peut déplacer le moindre chaînon ;
pour cette même raison, et non à cause d'une éventuelle faiblesse d'écriture, on ne relit pas les romans policiers. Le mot
d'esprit semble connaître des contraintes semblables ; la description qu'en fait Freud s'applique de près à tous les genres à
temporalité accentuée : « En second lieu, nous comprenons
cette particularité du mot d'esprit, qui consiste en ce qu'il ne
réalise son plein effet sur l'auditeur que lorsqu'il a pour lui le
charme de la nouveauté, lorsqu'il le surprend. Cette propriété,
responsable de la vie éphémère des mots d'esprit et de la
nécessité d'en créer sans cesse de nouveaux, tient apparemment
à ce qu'il est dans la nature même de la surprise ou du tra-
quenard de ne pas pouvoir réussir une seconde fois. Quand on
répète un mot d'esprit, l'attention est orientée par le souvenir

du premier récit » (*le Mot d'esprit,* p. 176-177). La surprise n'est qu'un cas particulier de la temporalité irréversible : ainsi l'analyse abstraite des formes verbales nous fait-elle découvrir des parentés là où l'impression première ne les laissait pas même soupçonner.

6

Les thèmes du fantastique : introduction

*Pourquoi l'aspect sémantique est-il si important ?
- Les fonctions pragmatique, syntaxique et sémantique du fantastique. - Thèmes fantastiques et thèmes littéraires en général. - Le fantastique, expérience des limites. - Forme, contenu, structure. - La critique thématique. - Son postulat sensualiste. - Son postulat expressif. - L'étude des thèmes fantastiques : aperçu. - Difficultés venant de la nature même des textes. - La manière dont nous allons procéder.*

On doit se tourner maintenant vers le troisième aspect de l'œuvre, que nous avons appelé sémantique ou thématique et sur lequel nous nous arrêterons plus longuement. Pourquoi l'accent sera-t-il mis sur cet aspect précisément ? La réponse est simple : le fantastique se définit comme une *perception* particulière d'événements étranges ; nous avons décrit longuement cette perception. Il nous faut maintenant examiner de près l'autre partie de la formule : les événements étranges eux-mêmes. Or, en qualifiant un événement d'étrange, nous désignons un fait d'ordre sémantique. La distinction entre syntaxe et sémantique, telle qu'elle se trouve ici en question, pourrait s'expliciter de la manière suivante : un événement sera considéré comme un élément syntaxique dans la mesure où il fait partie d'une figure plus large, dans la mesure où il entretient des relations de contiguïté avec d'autres éléments plus ou moins proches. En revanche, le même événement formera un élément sémantique à partir du moment où nous le comparons à d'autres éléments, semblables ou opposés, sans que ceux-ci aient avec le premier une relation immédiate. Le sémantique naît de la paradigmatique, de la même manière que la syntaxe se construit sur la syntagmatique. En parlant d'un événement *étrange*, nous ne tenons pas compte de ses relations avec les événements contigus, mais bien de celles qui le relient à d'autres événements, éloignés dans la chaîne, mais semblables ou opposés.

En fin de compte, l'histoire fantastique peut se caractériser ou non par telle composition, par tel « style » ; mais sans « événements étranges », le fantastique ne peut même pas apparaître. Le fantastique ne consiste pas, certes, dans ces événements, mais ils sont pour lui une condition nécessaire. De là l'attention que nous leur portons.

On pourrait cerner le problème d'une autre façon, en partant des *fonctions* qu'a le fantastique dans l'œuvre. Il convient de se demander : qu'apportent à une œuvre ses éléments fantastiques ? Une fois placé à ce point de vue fonctionnel, on peut aboutir à trois réponses. Premièrement, le fantastique produit un effet particulier sur le lecteur — peur, ou horreur, ou simplement curiosité —, que les autres genres ou formes littéraires ne peuvent provoquer. Deuxièmement, le fantastique sert la narration, entretient le suspense : la présence d'éléments fantastiques permet une organisation particulièrement serrée de l'intrigue. Enfin, le fantastique a une fonction à première vue tautologique : il permet de décrire un univers fantastique, et cet univers n'a pas pour autant une réalité en dehors du langage ; la description et le décrit ne sont pas de nature différente.

L'existence de trois fonctions et de trois seulement (à ce niveau de généralité) n'est pas un hasard. La théorie générale des signes — et nous savons que la littérature en relève — nous dit qu'il y a trois fonctions possibles pour un signe. La fonction pragmatique répond à la relation qu'entretiennent les signes avec leurs utilisateurs, la fonction syntaxique recouvre la relation des signes entre eux, la fonction sémantique vise la relation des signes avec ce qu'ils désignent, avec leur référence.

Nous ne nous occuperons pas ici de la première fonction du

fantastique : elle relève d'une psychologie de la lecture assez étrangère à l'analyse proprement littéraire que nous tentons. Pour la seconde, nous avons signalé déjà certaines affinités entre fantastique et composition, et nous y reviendrons à la fin de cette étude. C'est la troisième fonction qui retiendra notre attention ; et nous nous consacrerons, à partir de maintenant, à l'étude d'un univers sémantique particulier.

On peut fournir tout de suite une réponse simple, mais qui ne porte pas sur le fond de la question. Il est raisonnable de supposer que ce dont parle le fantastique n'est pas qualitativement différent de ce dont parle la littérature en général, mais qu'il y va d'une différence d'intensité, celle-ci étant à son maximum dans le fantastique. Autrement dit, et nous revenons ainsi à une expression utilisée déjà à propos d'Edgar Poe, le fantastique représente une expérience des limites. Ne nous y trompons pas : cette expression n'explique encore rien. Parler des « limites » (qui peuvent être de mille sortes) d'un continuum dont nous ignorons tout, c'est rester dans le vague de toutes les façons. Néanmoins, cette hypothèse nous apporte deux indications utiles : d'abord, toute étude des thèmes du fantastique se trouve en relation de contiguïté avec l'étude des thèmes littéraires en général ; ensuite, le superlatif, l'excès seront la norme du fantastique. Nous essayerons d'en tenir compte constamment.

Une typologie des thèmes du fantastique sera donc homologue avec la typologie des thèmes littéraires en général. Au lieu de nous en réjouir, nous ne pouvons que déplorer ce fait. Car nous touchons là au problème le plus complexe, le moins clair de toute la théorie littéraire, et qui est : *comment parler de ce dont parle la littérature ?*

En schématisant le problème, on pourrait dire que deux dangers symétriques sont à craindre. Le premier serait de réduire la littérature à un pur contenu (autrement dit, de ne s'attacher qu'à son aspect sémantique) ; c'est une attitude qui conduirait à ignorer la spécificité littéraire, qui mettrait la littérature sur le même plan, par exemple, que le discours philosophique ; on étudierait les thèmes, mais ils n'auraient plus rien de littéraire. Le second danger, inverse, reviendrait à réduire la littérature à une pure « forme » et à nier la pertinence des thèmes pour l'analyse littéraire. Sous prétexte que seul compte en littérature le « signifiant », on se refuse à percevoir l'aspect sémantique (comme si l'œuvre n'était pas signifiante à tous ses niveaux multiples).

Il est facile de voir en quoi chacune de ces options est irrecevable : ce qu'on dit est aussi important en littérature que la manière dont on le dit, le « qu'est-ce que » vaut bien le « comment », et inversement (à supposer, ce que nous ne pensons pas, qu'on puisse distinguer les deux). Mais il ne faudrait pas croire que la bonne attitude tienne dans un mélange équilibré des deux tendances, dans un dosage raisonnable d'étude de formes et d'étude de contenus. La distinction même entre forme et contenu doit être dépassée (cette phrase est certainement banale au niveau de la théorie mais elle garde toute son actualité si l'on examine les études critiques particulières d'aujourd'hui). Une des raisons d'être du concept de structure est bien celle-ci : dépasser l'ancienne dichotomie de la forme et du fond, pour considérer l'œuvre comme totalité et unité dynamique.

Dans la conception de l'œuvre littéraire, telle que nous l'avons proposée jusqu'à présent, les concepts de forme et de contenu ne sont apparus nulle part. Nous avons parlé de plusieurs aspects de l'œuvre, dont chacun possède sa structure et reste en même temps significatif ; aucun d'entre eux n'est pure forme ni pur contenu. On pourrait nous dire : les aspects verbal et syntaxique sont plus « formels » que l'aspect sémantique, il est possible de les décrire sans nommer le sens d'une œuvre particulière ; en revanche, parlant de l'aspect sémantique, vous ne pouvez éviter de vous préoccuper du sens de l'œuvre et donc de faire apparaître un contenu.

Il faut dissiper dès à présent ce malentendu, d'autant que nous pourrons ainsi mieux préciser la tâche qui nous attend. Il ne faut pas confondre l'étude des thèmes, telle que nous l'entendons ici, avec l'interprétation critique d'une œuvre. Nous considérons l'œuvre littéraire comme une structure qui peut recevoir un nombre indéfini d'interprétations ; celles-ci dépendent du temps et du lieu de leur énonciation, de la personnalité du critique, de la configuration contemporaine des théories esthétiques, et ainsi de suite. Notre tâche, en revanche, est la description de cette structure creuse qu'imprègnent les interprétations des critiques et des lecteurs. Nous resterons aussi loin de l'interprétation des œuvres particulières que nous l'étions en traitant de l'aspect verbal ou syntaxique. Comme précédemment, il s'agit même ici pour nous de décrire une configuration plutôt que de nommer un sens.

Il apparaît que, si nous acceptons la contiguïté des thèmes fantastiques avec les thèmes littéraires en général, notre tâche devient d'une difficulté extrême. Nous disposions d'une théorie globale concernant les aspects verbal et syntaxique de l'œuvre, et nous pouvions y inscrire nos observations sur le fantastique. Ici, au contraire, nous ne disposons de rien ; pour cette raison même, il nous faut mener de front deux tâches : étudier les thèmes du fantastique, et proposer une théorie générale de l'étude des thèmes.

En affirmant qu'il n'existe aucune théorie générale des thèmes, nous semblons oublier une tendance critique qui jouit pourtant du plus grand prestige : la critique thématique. Il s'impose de dire en quoi la méthode élaborée par cette école ne nous satisfait pas. Je prendrai comme exemple quelques textes de Jean-Pierre Richard, qui en est certainement le représentant le plus brillant. Ces textes sont choisis tendancieusement, et je ne prétends nullement rendre justice à une œuvre critique dont l'importance est capitale. Aussi bien vais-je me limiter à quelques préfaces déjà anciennes : or, une évolution se laisse observer dans des textes récents de Richard ; d'autre part, même dans les textes plus anciens, les problèmes de méthode se révèlent beaucoup plus complexes dès qu'on étudie les analyses concrètes (auxquelles nous ne pourrons nous arrêter).

Il faut dire tout d'abord que l'emploi du terme « thématique » est en soi contestable. On s'attendrait en effet à trouver sous ce chef une étude de tous les thèmes, quels qu'ils soient. Or, en fait, les critiques opèrent un choix parmi les thèmes possibles et c'est ce choix qui définit le mieux leur attitude : on pourrait qualifier celle-ci de « sensualiste ». En effet, pour cette critique, seuls les thèmes qui ont trait aux sensations (au sens étroit) sont véritablement dignes d'attention. Voici comment Georges Poulet décrit cette exigence, dans sa préface au premier livre de critique thématique de Richard, *Littérature et Sensation* (le titre déjà est significatif) : « Quelque part au fond de la conscience, de l'autre côté de la région où tout est *devenu* pensée, au point opposé à celui par où l'on a pénétré, il y a donc eu et il y a donc encore de la lumière, des objets et même des yeux pour les percevoir. La critique ne peut se contenter de penser une pensée. Il faut encore qu'à travers celle-ci, elle remonte d'images en images jusqu'à des sensations » (p. 10, c'est moi qui souligne). Il y a dans cet extrait une opposition très nette entre, disons, le concret et l'abstrait ; d'un côté, on trouve les objets, la lumière, les yeux, l'image, la sensation ; de l'autre, la pensée, les concepts abstraits. Le premier terme de l'opposition semble doublement valorisé : d'abord il est premier dans le temps (cf. le « devenu ») ; ensuite il est le plus riche, le plus important, et constitue, par conséquent, l'objet privilégié de la critique.

Dans la préface à son livre suivant, *Poésie et Profondeur*, Richard reprend exactement la même idée. Il décrit son trajet comme un essai « de retrouver et de décrire l'intention fondamentale, le projet qui domine leur aventure. Ce projet, j'ai cherché à le saisir à son niveau le plus élémentaire, celui où il s'affirme avec le plus d'humilité mais aussi avec le plus de franchise : niveau de la sensation pure, du sentiment brut ou de l'image en train de naître. (...) J'ai tenu l'idée pour moins importante que l'obsession, j'ai cru la théorie seconde par rapport au rêve » (p. 9-10). Gérard Genette a justement qualifié ce point de départ, en parlant du « postulat sensualiste, selon lequel le fondamental (et donc l'authentique) coïncide avec l'expérience sensible » (*Figures*, p. 94).

Nous avons déjà eu l'occasion (à propos de Northrop Frye) d'exprimer notre désaccord avec ce postulat. Et nous suivrons encore Genette, lorsqu'il écrit : « Le postulat, ou le parti pris, du structuralisme est à peu près inverse de celui de l'analyse bachelardienne : il est que certaines fonctions élémentaires de la pensée la plus archaïque participent déjà d'une haute abstraction, que les schémas et les opérations de l'intellect sont peut-être plus « profonds », plus originaires que les rêveries de l'imagination sensible, et qu'il existe une logique, voire une mathématique de l'inconscient » (p. 100). Il s'agit, on le voit, d'une opposition entre deux courants de pensée qui, en fait, débordent le structuralisme et l'analyse bachelardienne : on trouve d'un côté aussi bien Lévi-Strauss que Freud ou Marx, de l'autre Bachelard aussi bien que la critique thématique, Jung en même temps que Frye.

On pourrait se dire, comme à propos de Frye, que les postulats ne se discutent pas, qu'ils résultent d'un choix arbitraire ; mais il sera utile, à nouveau, d'en envisager les conséquences. Passons sous silence les implications ayant trait à la « mentalité primitive » et ne retenons que celles qui touchent à l'analyse littéraire. Le refus d'accorder une importance à l'abstraction dans le monde qu'il décrit amène Richard à sous-estimer le besoin d'abstraction dans le travail critique. Les catégories dont il se sert pour décrire les sensations des poètes qu'il étudie sont aussi concrètes que ces sensations mêmes. Il suffit, pour s'en convaincre, de jeter un coup d'œil sur les « Tables » (de matières) de ses livres. En voici quelques exemples : « Profondeur diabolique — Grotte — Volcan », « Soleil — Pierre — Brique rose — Ardoise — Verdeur — Touffe », « Papillons et oiseaux — Echarpe envolée — Terre murée — Poussière — Limon — Soleil », etc. (chapitre sur Nerval dans *Poésie et Profondeur*). Ou encore, toujours à propos de Nerval : « Nerval rêve par exemple à l'être comme à un feu perdu, enseveli : aussi recherche-t-il à la fois le spectacle des soleils levants et celui des briques roses qui luisent au soleil couchant, le contact de la chevelure enflammée des jeunes femmes ou la fauve tiédeur de leur chair *bionda e grassotta* » (p. 10). Les thèmes décrits sont ceux du soleil, de la brique, de la chevelure ; le terme qui les décrit est celui du feu perdu.

Il y aurait beaucoup à dire sur ce langage critique. Nous ne contestons pas sa pertinence : il revient aux spécialistes de chaque auteur particulier de dire dans quelle mesure ces observations sont correctes. C'est au niveau de l'analyse elle-même qu'un tel langage peut paraître critiquable. Des termes aussi concrets ne forment évidemment aucun système logique (la critique thématique serait la première à l'accorder) ; mais si la liste des termes est infinie et désordonnée, en quoi est-elle préférable au texte lui-même qui, après tout, contient toutes ces sensations et les organise d'une certaine manière ? A ce stade, la critique thématique semble n'être rien d'autre qu'une paraphrase (paraphrase sans doute géniale, dans le cas de Richard) ; mais la paraphrase n'est pas une analyse. Chez Bachelard ou chez Frye nous avons un système, même s'il reste au niveau du concret : celui des quatre éléments, ou des quatre saisons, etc. Avec la critique thématique, on dispose d'une liste infinie de termes qu'il faut inventer à partir de zéro pour chaque texte.

Il existe, de ce point de vue, deux types de critique : disons que l'une est narrative, l'autre, logique. La critique narrative suit une ligne horizontale, elle va de thème en thème, s'arrêtant à un moment plus ou moins arbitraire ; ces thèmes sont tous aussi peu abstraits les uns que les autres, ils constituent une chaîne interminable et le critique, semblable en cela au narrateur, choisit presque au hasard le début et la fin de son récit (de même que, disons, la naissance et la mort d'un personnage ne sont, finalement, que des moments choisis arbitrairement pour le commencement et la fin d'un roman).

Genette cite une phrase de *l'Univers imaginaire de Mallarmé* où se condense cette attitude : « La carafe n'est donc plus un azur, et pas encore une lampe » (p. 499). L'azur, la carafe et la lampe forment une série homogène sur laquelle glisse le critique, toujours à profondeur égale. La structure des livres de critique thématique illustre bien cette attitude narrative et horizontale : ce sont le plus souvent des recueils d'essais dont chacun fait le portrait d'un écrivain différent. Passer à un niveau plus général est pour ainsi dire impossible : la théorie y est comme interdite de séjour.

L'attitude logique, elle, suit plutôt une verticale : la carafe et la lampe peuvent constituer un premier niveau de généralité ; mais il sera nécessaire de s'élever ensuite à un autre niveau, plus abstrait ; la figure dessinée par le trajet est celle d'une pyramide plus que celle d'une ligne de surface. La critique thématique ne veut, au contraire, pas quitter l'horizontale ; mais par là même, elle abandonne toute prétention analytique et, plus encore, explicative.

On trouve parfois, il est vrai, dans les écrits de critique thématique, des préoccupations théoriques, en particulier chez Georges Poulet. Mais en évitant le danger du sensualisme, cette critique contredit un autre des postulats que nous avions posés dès le début : celui de tenir l'œuvre littéraire non pour la traduction d'une pensée préexistante, mais pour le lieu où naît un sens qui ne peut exister nulle part ailleurs. Supposer que la littérature n'est que l'expression de certaines pensées ou expériences de l'auteur, c'est condamner d'emblée la spécificité littéraire, accorder à la littérature un rôle secondaire, celui d'un médium parmi d'autres. Or, c'est la seule manière dont la critique thématique conçoit l'apparition de l'abstraction en littérature. Voici quelques affirmations caractéristiques de Richard : « On aime à voir en elle [la littérature] une *expression* des choix, des obsessions et des problèmes qui se situent au cœur de l'existence personnelle » (*Littérature et Sensation*, p. 13). « Il m'a semblé que la littérature était l'un des lieux où se *trahissait* avec le plus de simplicité ou même de naïveté cet effort de la conscience pour appréhender l'être » (*Poésie et Profondeur*, p. 9 ; c'est moi qui souligne partout). Expression ou trahison, la littérature ne serait jamais qu'un moyen pour traduire certains problèmes qui subsistent en dehors d'elle et indépendamment d'elle. Parti, celui-là, que nous pouvons difficilement accepter.

Cette rapide analyse nous révèle que la critique thématique, par définition anti-universelle, ne nous fournit pas les moyens d'analyser et d'expliquer les structures générales du discours littéraire (nous indiquerons plus tard le niveau où cette méthode nous semble trouver toute sa pertinence). Nous revoici aussi dépourvus de méthode pour l'analyse des thèmes que nous l'étions auparavant ; toutefois, deux écueils nous sont apparus, qu'il faut essayer d'éviter : le refus de quitter le champ du concret, de reconnaître l'existence de règles abstraites ; l'utilisation de catégories non littéraires pour décrire des thèmes littéraires.

Tournons-nous maintenant avec ce maigre bagage théorique vers les écrits critiques qui traitent du fantastique. On y découvrira une surprenante unanimité de méthode.

Soient quelques exemples de classification de thèmes. Dorothy Scarborough, dans un des premiers livres consacrés à cette question, *The Supernatural in Modern English Fiction*, propose la classification suivante : les fantômes modernes ; le diable et ses alliés ; la vie surnaturelle. Chez Penzoldt, on trouve une division plus détaillée (dans le chapitre intitulé « Le motif principal ») : le fantôme ; le revenant ; le vampire ; le loup-garou ; sorcières et sorcellerie ; l'être invisible ; le spectre animal. (En fait, cette division est soutenue par une autre, beaucoup plus générale, et sur laquelle on reviendra au chap. IX.) Vax propose une liste très proche : « Le loup-garou ; le vampire ; les parties séparées du corps humain ; les troubles de la

personnalité ; les jeux du visible et de l'invisible ; les altérations de la causalité, de l'espace et du temps ; la régression. »
On passe ici, curieusement, des images à leurs causes : le thème du vampire peut évidemment être une conséquence des troubles de la personnalité ; la liste est donc moins cohérente que les précédentes, même si elle est plus suggestive.

Caillois donne une classification encore plus détaillée. Ses classes thématiques sont les suivantes : « le pacte avec le démon (ex. : *Faust*) ; l'âme en peine qui exige pour son repos qu'une certaine action soit accomplie ; le spectre condamné à une course désordonnée et éternelle (ex. : *Melmoth*) ; la mort personnifiée apparaissant au milieu des vivants (ex. : *le Spectre de la Mort rouge*, d'Edgar Poe) ; la « chose » indéfinissable et invisible, mais qui pèse, qui est présente (ex. : *le Horla*) ; les vampires, c'est-à-dire les morts qui s'assurent une perpétuelle jeunesse en suçant le sang des vivants (nombreux exemples) ; la statue, le mannequin, l'armure, l'automate, qui soudain s'animent et acquièrent une redoutable indépendance (ex. : *la Vénus d'Ille*) ; la malédiction d'un sorcier qui entraîne une maladie épouvantable et surnaturelle (ex. : *la Marque de la bête*, de Kipling) ; la femme-fantôme, issue de l'au-delà, séductrice et mortelle (ex. : *le Diable amoureux*) ; l'interversion des domaines du rêve et de la réalité ; la chambre, l'appartement, l'étage, la maison, la rue effacés de l'espace ; l'arrêt ou la répétition du temps (ex. : *le Manuscrit trouvé à Saragosse*) » (*Images, images...*, p. 36-39).

La liste est, on le voit, très riche. En même temps, Caillois insiste beaucoup sur le caractère systématique, clos des thèmes du fantastique : « Je me suis peut-être trop avancé en affirmant qu'il était possible de recenser ces thèmes qui dépendent cependant assez étroitement d'une situation donnée. Je continue néanmoins de les estimer dénombrables et déductibles, de sorte qu'on pourrait à l'extrême conjecturer ceux qui manquent à la série, comme la classification cyclique de Mendeleiev permet de calculer le poids atomique des corps simples qu'on n'a pas encore découverts ou que la nature ignore mais qui existent virtuellement » (p. 57-58).

On ne peut que souscrire à un tel souhait ; mais on chercherait en vain dans les écrits de Caillois la règle logique qui permette le classement ; et je ne pense pas que son absence soit un effet du hasard. Toutes les classifications énumérées jusqu'ici contreviennent à la première règle que nous nous étions donnée : celle de classer non des images concrètes mais des catégories abstraites (avec l'exception non significative de Vax). Au niveau où les décrit Caillois, ces « thèmes » sont au contraire illimités et n'obéissent pas à des lois rigoureuses. On pourrait reformuler la même objection ainsi : à la base des classifications, on trouve l'idée d'un sens invariable de chaque élément de l'œuvre, indépendamment de la structure dans laquelle il sera intégré. Classer tous les vampires ensemble, par exemple, implique que le vampire signifie toujours la même chose, quel que soit le contexte où il apparaît. Or, partis comme nous le sommes de l'idée que l'œuvre forme un tout cohérent, une structure, nous devons admettre que le sens de chaque élément (ici, chaque thème) ne peut s'articuler en dehors de ses relations avec les autres éléments. Ce qu'on nous propose ici, ce sont des étiquettes, des apparences, non de véritables éléments thématiques.

Un article récent de Witold Ostrowski va plus loin que ces énumérations : il essaie de formuler une théorie. L'étude est d'ailleurs significativement intitulée : *The Fantastic and the Realistic in Literature. Suggestions on how to define and analyse fantastic fiction.* Selon Ostrowski, on peut représenter l'expérience humaine par le schéma suivant (p. 57) :

personnages 1 2 (matière + conscience) monde des objets 3 4 (matière + espace)	en action régie par	causalité 6 7 et/ou buts	8 dans le temps

Les thèmes du fantastique se définissent comme étant, chacun, la transgression d'un ou de plusieurs des huit éléments constitutifs de ce schéma.

Nous avons là une tentative de systématisation à un niveau abstrait, non plus un catalogue au niveau des images. Il est difficile toutefois d'admettre un tel schéma à cause, on le voit tout de suite, du caractère *a priori* (et de plus non-littéraire) des catégories qui y sont censées décrire des textes littéraires.

Bref, toutes ces analyses du fantastique sont aussi pauvres en suggestions concrètes que la critique thématique l'était en indications d'ordre général. Les critiques se sont contentés jusqu'à présent (Penzoldt excepté) de dresser des listes d'éléments surnaturels sans réussir à en indiquer l'organisation.

Comme si tous ces problèmes que nous rencontrons au seuil de l'étude sémantique ne suffisaient pas, il en est d'autres, qui tiennent à la nature même de la littérature fantastique. Rappelons les données du problème : dans l'univers évoqué par le texte, se produit un événement — une action — qui relève du surnaturel (ou du faux surnaturel) ; à son tour, celui-ci provoque une réaction chez le lecteur implicite (et généralement chez le héros de l'histoire) : c'est cette réaction que nous qualifions d' « hésitation », et les textes qui la font vivre, de fantastiques. Lorsqu'on pose la question des thèmes, on met la réaction « fantastique » entre parenthèses, pour ne s'intéresser qu'à la nature des événements qui la provoquent. Autrement dit, de ce point de vue, la distinction entre fantastique et merveilleux n'a plus d'intérêt, et nous nous occuperons indifféremment d'œuvres appartenant à l'un ou l'autre genre. Il est cependant possible que le texte mette si fortement l'accent sur le fantastique (c'est-à-dire sur la réaction), que nous ne puissions plus en distinguer le surnaturel qui l'a provoqué : la réaction interdit la saisie de l'action, au lieu d'y mener ; la mise entre

parenthèses du fantastique devient alors extrêmement difficile, sinon impossible.

En d'autres termes : lorsqu'il s'agit ici de la perception d'un
objet, on peut insister aussi bien sur la perception que sur
l'objet. Mais, si l'insistance sur la perception est trop forte, on ne
perçoit plus l'objet lui-même.

On trouve des exemples très différents de cette impossibilité
à atteindre le thème. Prenons d'abord Hoffmann (dont l'œuvre
constitue presque un répertoire des thèmes fantastiques) : ce
qui semble lui importer n'est pas ce dont on rêve, mais le
fait qu'on rêve et la joie que cela provoque. L'admiration
que suscite chez lui l'existence du monde surnaturel l'empêche
souvent de nous dire de quoi ce monde est fait. L'accent est
passé de l'énoncé à l'énonciation. La conclusion du *Pot d'or*
est à cet égard révélatrice. Après avoir raconté les merveilleuses
aventures de l'étudiant Anselme, le narrateur apparaît sur
scène, et déclare : « Mais alors je me sentis subitement déchiré
et transporté de douleur. O fortuné Anselme, qui as jeté loin
de toi le fardeau de la vie commune, qui t'es élevé par ton
amour pour Serpentine et qui habites maintenant, comblé de
voluptés, un beau domaine seigneurial dans l'Atlantide ! Mais
moi, malheureux ? bientôt, oui, dans peu de minutes, je serai
transplanté de ce beau salon (qui ne vaudra de longtemps un
domaine seigneurial dans l'Atlantide) dans une mansarde ;
les misères et les besoins de la vie occuperont toute ma pensée,
mille malheurs jetteront un voile épais de brouillard sur mes
yeux et je ne pourrai certainement plus jamais voir la fleur de
lis.

En ce moment, l'archiviste Lindhorst me frappa doucement
sur l'épaule et me dit : « Silence, silence, très honoré Monsieur !
Ne vous plaignez pas de la sorte ! N'avez-vous pas été tout
à l'heure dans l'Atlantide et n'y possédez-vous pas au moins une
métairie à titre de fief poétique ? En général, le bonheur d'Anselme est-il autre chose que cette vie dans la poésie, à laquelle
se révèle la sainte harmonie de tous les êtres, comme le plus

profond mystère de la nature ? » (t. II, p. 201). Ce passage remarquable met un signe d'égalité entre les événements surnaturels et la possibilité de les décrire, entre la teneur du surnaturel et sa perception : le bonheur que découvre Anselme est identique à celui du narrateur qui a pu l'imaginer, qui a pu écrire son histoire. Et du fait de cette joie devant l'existence du surnaturel, on ne parvient qu'à peine à le connaître.

Situation inverse chez Maupassant, mais avec des effets semblables. Ici le surnaturel provoque une telle angoisse, une telle horreur, que nous ne réussissons guère à distinguer ce qui le constitue. *Qui sait* ? est peut-être le meilleur exemple de ce processus. L'événement surnaturel, point de départ de la nouvelle, est l'animation subite et étrange des meubles d'une maison. Il n'y a aucune logique dans le comportement des meubles et devant ce phénomène nous nous demandons moins « ce qu'il veut dire » que nous ne sommes frappés par l'étrangeté du fait même. Ce n'est pas l'animation des meubles qui compte tellement, mais le fait que quelqu'un ait pu l'imaginer et la vivre. A nouveau la perception du surnaturel jette une ombre épaisse sur le surnaturel lui-même et nous rend son accès difficile.

Le Tour d'écrou de Henry James offre une troisième variante de ce phénomène singulier où la perception fait écran plutôt qu'elle ne dévoile. Comme dans les textes précédents, l'attention est si fortement concentrée sur l'acte de perception que nous ignorerons toujours la nature de ce qui est perçu (quels sont les vices des anciens serviteurs ?). L'angoisse prédomine ici mais elle revêt un caractère beaucoup plus ambigu que chez Maupassant.

Après ces tâtonnements au seuil d'une étude des thèmes fantastiques, nous ne disposons donc que de quelques certitudes négatives : nous savons ce qu'il ne faut pas faire, non comment procéder. En conséquence, nous adopterons une position prudente : nous nous limiterons à l'application d'une technique élémentaire, sans présumer de la méthode à suivre en général.

On groupera d'abord les thèmes de manière purement formelle, plus exactement distributionnelle : on partira d'une étude de leurs *compatibilités* et *incompatibilités*. Nous obtiendrons ainsi quelques groupes de thèmes ; chaque groupe réunira ceux qui peuvent apparaître ensemble, ceux qui réellement se trouvent ensemble dans des œuvres particulières. Une fois ces classes formelles obtenues, on essaiera d'*interpréter* la classification elle-même. Il y aura donc deux étapes dans notre travail, qui correspondent en gros aux deux temps de la description et de l'explication.

Cette procédure, pour innocente qu'elle puisse paraître, ne l'est pas tout à fait. Elle implique deux hypothèses qui sont loin d'être vérifiées : la première, qu'aux classes formelles correspondent des classes sémantiques, autrement dit que des thèmes différents ont obligatoirement une distribution différente ; la seconde, qu'une œuvre possède un tel degré de cohérence que les lois de la compatibilité et de l'incompatibilité ne pourront jamais y être enfreintes. Ce qui est loin d'être assuré, ne serait-ce qu'à cause des emprunts nombreux qui caractérisent toute œuvre littéraire. Un conte folklorique, par exemple, moins homogène, comportera souvent des éléments qui n'apparaissent jamais ensemble dans des textes littéraires. Il faudra donc se laisser guider par une intuition qu'il est difficile d'expliciter pour l'instant.

Les thèmes du je

On commencera donc par un premier groupe de thèmes réunis à partir d'un critère purement formel : leur co-présence. On se rappellera d'abord une histoire des *Mille et une nuits*, celle du second calender.

Elle débute comme un conte réaliste. Le héros, fils de roi, achève son éducation dans la maison de son père et part rendre visite au sultan des Indes. En cours de route, son cortège est attaqué par des voleurs : il parvient de justesse à sauver sa vie. Il se retrouve dans une ville inconnue, sans moyens ni possibilité de se faire reconnaître ; suivant le conseil d'un tailleur, il commence de couper du bois dans la forêt voisine et de le vendre en ville, pour assurer sa subsistance. Jusque-là, on le voit, aucun élément surnaturel.

Mais un jour a lieu l'événement incroyable. En arrachant une racine d'arbre, le prince aperçoit un anneau de fer et une trappe ; il la soulève et descend l'escalier qui s'offre à lui. Il se retrouve dans un palais souterrain, richement décoré ; une dame d'une beauté extraordinaire le reçoit. Elle lui confie qu'elle est aussi fille de roi, enlevée par un méchant génie. Le génie l'a cachée dans ce palais et vient coucher avec elle

un jour sur dix, car sa femme légitime est fort jalouse ; la princesse peut, d'autre part, l'appeler à tout instant, rien qu'en touchant un talisman. La princesse invite le prince à demeurer près
d'elle neuf jours sur dix ; elle lui propose un bain, un dîner
exquis et de partager son lit pour la nuit. Mais le lendemain,
elle a l'imprudence de lui offrir du vin ; une fois ivre, le prince
décide de provoquer le génie et brise le talisman.

Le génie apparaît ; cette arrivée fait, à elle seule, tant de
bruit, que le prince s'enfuit épouvanté, laissant entre les mains
du génie l'impuissante princesse et quelques pièces de son
habillement, éparses dans la chambre. Cette dernière imprudence va le perdre : le génie transformé en vieillard vient à la
ville et découvre le propriétaire des habits ; il enlève notre
prince dans le ciel, puis le ramène à la grotte, pour obtenir de
lui la confession de son crime. Mais ni le prince, ni la princesse
n'avouent, ce qui n'empêche pas le génie de les punir : il
tranche un bras de la princesse, et elle en meurt ; quant au
prince, malgré l'histoire qu'il réussit à raconter et selon laquelle
il ne faut jamais se venger de qui vous a fait du mal, il se trouve
transformé en singe.

Cette situation sera la source d'une nouvelle série d'aventures.
Le singe intelligent est récupéré par un bateau dont le capitaine est charmé par ses bonnes manières. Un jour, le bateau
arrive dans un royaume dont le grand vizir vient de mourir ;
le sultan demande à tous les nouveaux venus de lui envoyer un
échantillon de leur écriture, pour choisir, d'après ce critère,
l'héritier du vizir. Comme on pense bien, c'est l'écriture du
singe qui se trouve être la plus belle ; le sultan l'invite dans son
palais : le singe écrit des vers en son honneur. La fille du sultan
vient voir le miracle ; mais comme elle a pris des leçons de
magie dans sa jeunesse, elle devine aussitôt qu'il s'agit d'un
homme métamorphosé. Elle appelle le génie, et tous deux se
livrent un dur combat où chacun se transforme en une série
d'animaux. A la fin, ils projettent des flammes l'un sur l'autre ;
la fille du sultan est victorieuse, mais elle meurt peu après ; elle

a tout juste le temps de redonner au prince forme humaine. Attristé par les malheurs qu'il a provoqués, le prince se fait *calender* (derviche), et ce sont les hasards de son voyage qui le conduisent dans la maison même où il raconte cette histoire, présentement.

Devant cette apparente variété thématique, on se sent d'abord perplexe : comment la décrire ? Cependant, si nous isolons les éléments surnaturels, nous verrons qu'il est possible de les réunir en deux groupes. Le premier serait celui des *métamorphoses*. On a vu l'homme se transformer en singe et le singe en homme ; le génie se transforme, dès le début, en vieillard Pendant la scène du combat, les métamorphoses se succèdent. Le génie devient d'abord un lion ; la princesse le coupe en deux avec un sabre, mais la tête du lion se change en un gros scorpion. « Aussitôt la princesse se changea en serpent, et livra un rude combat au scorpion, qui, n'ayant pas l'avantage, prit la forme d'un aigle et s'envola. Mais le serpent prit alors celle d'un aigle plus puissant, et le poursuivit » (t. I, p. 169). Peu de temps après, un chat noir et blanc apparaît ; il est poursuivi par un loup noir. Le chat se transforme en ver et entre dans une grenade qui se gonfle comme une citrouille ; celle-ci se brise en morceaux ; le loup, métamorphosé alors en coq, se met à avaler les grains de la grenade. Il en reste un qui tombe dans l'eau et devient petit poisson. « Le coq se jeta dans le canal et se changea en un brochet qui poursuivit le petit poisson » (p. 170). A la fin, les deux personnages reprennent forme humaine.

L'autre groupe d'éléments fantastiques tient à l'existence même d'êtres surnaturels, tels que le génie et la princesse-magicienne, et à leur pouvoir sur la destinée des hommes. Tous deux peuvent métamorphoser et se métamorphoser ; voler ou déplacer êtres et objets dans l'espace, etc. Nous sommes ici en face d'une des constantes de la littérature fantastique : l'existence d'êtres surnaturels, plus puissants que les hommes. Cependant, il ne suffit pas de constater ce fait, il faut encore s'interroger sur sa signification. On peut dire, évidemment, que de tels êtres symbolisent un rêve de puissance ; mais il y a plus. En fait, d'une manière générale, les êtres surnaturels suppléent à une causalité déficiente. Disons que dans la vie quoditienne il y a une part d'événements qui s'expliquent par des causes connues de nous ; et une autre, qui nous paraît due au hasard. Dans ce dernier cas, il n'y a pas, en fait, absence de causalité, mais intervention d'une causalité isolée, qui n'est pas liée directement aux autres séries causales régissant notre vie. Si cependant nous n'acceptons pas le hasard, nous postulons une causalité généralisée, une nécessaire relation de tous les faits entre eux, nous devrons admettre l'intervention de forces ou d'êtres surnaturels (jusque-là ignorés de nous). Telle fée qui assure l'heureux destin d'une personne n'est que l'incarnation d'une *causalité imaginaire* pour ce qui pourrait être appelé aussi : la chance, le hasard. Le mauvais génie qui interrompait les ébats amoureux dans l'histoire du calender, n'est rien d'autre que la mauvaise chance des héros. Mais les mots « chance » ou « hasard » sont exclus de cette partie du monde fantastique. On lit dans une des nouvelles fantastiques d'Erckmann-Chatrian : « Le hasard, qu'est-ce, après tout, sinon l'effet d'une cause qui nous échappe ? » (*l'Esquisse mystérieuse*, cité d'après l'anthologie de Castex, p. 214). Nous pouvons parler ici d'un déterminisme généralisé, d'un *pan-déterminisme* : tout, jusqu'à la rencontre de diverses séries causales (ou « hasard »), doit avoir sa cause, au plein sens du mot, même si celle-ci ne peut être que d'ordre surnaturel.

A interpréter ainsi le monde des génies et des fées, une curieuse ressemblance se laisse observer entre ces images fantastiques, somme toute, traditionnelles, et l'imagerie beaucoup plus « originale » que l'on trouve dans les œuvres d'écrivains comme Nerval ou Gautier. Il n'y a pas de rupture entre l'un et l'autre, et le fantastique de Nerval nous aide à comprendre celui des *Mille et une nuits*. On ne sera donc pas d'accord avec Hubert Juin, qui oppose les deux registres : « Les autres remarquent les fantômes, les striges, les goules, enfin tout cela qui relève de l'embarras gastrique et qui est le mauvais fantastique. Gérard de Nerval, seul, voit (...) ce qu'est le rêve » (préface aux contes fantastiques de Nerval, p. 13).

Voici quelques exemples de pan-déterminisme chez Nerval. Un jour, deux événements se produisent simultanément : Aurélia vient de mourir ; et le narrateur, qui l'ignore, pense à une bague qu'il lui avait offerte ; la bague était trop grande, il l'avait fait couper. « Je ne compris ma faute qu'en entendant le bruit de la scie. Il me sembla voir couler du sang... » (p. 269). Hasard ? Coïncidence ? Pas pour le narrateur d'*Aurélia*.

Un autre jour, il entre dans une église. « J'allai me mettre à genoux aux dernières places du chœur, et je fis glisser de mon doigt une bague d'argent dont le chaton portait ces trois mots arabes : *Allah ! Mohamed ! Ali !* Aussitôt plusieurs bougies s'allumèrent dans le chœur... » (p. 296). Ce qui ne serait pour d'autres qu'une coïncidence dans le temps, est ici une cause.

Une autre fois encore, il se promène dans la rue pendant un jour d'orage. « L'eau s'élevait dans les rues voisines ; je descendis en courant la rue Saint-Victor et, dans l'idée d'arrêter ce que je croyais l'inondation universelle, je jetai à l'endroit le plus profond l'anneau que j'avais acheté à Saint-Eustache. Vers le même moment, l'orage s'apaisa, et un rayon de soleil commença à briller » (p. 299). L'anneau provoque ici le changement atmosphérique ; on remarque en même temps la prudence avec laquelle ce pan-déterminisme est présenté : Nerval n'explicite que la coïncidence temporelle, non la causalité.

Un dernier exemple est tiré d'un rêve. « Nous étions dans une campagne éclairée des feux des étoiles ; nous nous arrêtâmes à contempler ce spectacle, et l'esprit étendit sa main sur mon front, comme je l'avais fait la veille en cherchant à magnétiser mon compagnon ; aussitôt une des étoiles que je voyais au ciel se mit à grandir... » (p. 309).

Nerval est pleinement conscient de la signification de tels récits. A propos de l'un d'entre eux, il remarque : « Sans doute on me dira que le hasard a pu faire qu'en ce moment-là une femme souffrante ait crié dans les environs de ma demeure. — Mais, selon ma pensée, les événements terrestres étaient liés à ceux du monde invisible » (p. 281). Et ailleurs : « L'heure de notre naissance, le point de la terre où nous paraissons, le premier geste, le nom de la chambre, — et toutes ces consécrations, et tous ces rites qu'on nous impose, tout cela établit une série heureuse ou fatale d'où l'avenir dépend tout entier. (...) On l'a dit justement : rien n'est indifférent, rien n'est impuissant dans l'univers ; un atome peut tout dissoudre, un atome peut tout sauver ! » (p. 304). Ou encore, dans une formule laconique : « Tout se correspond. »

Indiquons ici, pour y revenir plus longuement par la suite, la ressemblance de cette conviction dérivée chez Nerval de la folie, avec celle qu'on peut avoir au cours d'une expérience de drogues. Je me réfère ici au livre d'Alan Watts, *The Joyous Cosmology* : « Car dans ce monde il n'y a rien d'erroné, ni même de stupide. Ressentir l'erreur, c'est simplement ne pas voir le schéma dans lequel s'inscrit tel événement, ne pas savoir à quel niveau hiérarchique cet événement appartient » (p. 58). Ici encore, « tout se correspond ».

Le pan-déterminisme a comme conséquence naturelle ce qu'on pourrait appeler la « pan-signification » : puisque des relations existent à tous les niveaux, entre tous les éléments du monde, ce monde devient hautement signifiant. On l'a vu déjà avec Nerval : l'heure à laquelle on est né, le nom de la chambre, tout est chargé de sens. Plus même : au-delà du sens premier, évident, on peut toujours découvrir un sens plus profond (une surinterprétation). Ainsi le personnage d'*Aurélia* dans la maison de santé : « J'attribuais un sens mystique aux conversations des gardiens et à celle de mes compagnons » (p. 302). Ainsi Gautier pendant une expérience de hachich : « Un voile se déchira dans mon esprit, et il devint clair pour moi que les membres du club n'étaient autres que des cabalistes... » (p. 207). « Les figures des tableaux... s'agitaient avec

des contorsions pénibles, comme des muets qui voudraient donner un avis important dans une occasion suprême. On eût dit
qu'ils voulaient m'avertir d'un piège à éviter » (*le Club des
hachichins*, p. 208). Dans ce monde, tout objet, tout être
veut dire quelque chose.

Passons à un degré d'abstraction plus élevé encore : quel est le
sens dernier du pan-déterminisme manié par la littérature fantastique ? Il n'est certes pas nécessaire d'être proche de la folie,
comme Nerval, ou de passer par la drogue, comme Gautier,
pour croire au pan-déterminisme : nous l'avons tous connu ;
mais sans lui donner l'extension qu'il a ici : les relations
que nous établissons entre les objets restent purement mentales
et n'affectent en rien les objets eux-mêmes. Chez Nerval ou
Gautier, au contraire, ces relations s'étendent jusqu'au monde
physique : on touche la bague et les bougies s'allument, on
jette l'anneau et l'inondation s'arrête. Autrement dit, au niveau
le plus abstrait, le pan-déterminisme signifie que la limite entre
le physique et le mental, entre la matière et l'esprit, entre la
chose et le mot cesse d'être étanche.

Retournons-nous maintenant, en gardant cette conclusion
présente à l'esprit, vers les métamorphoses, que nous avons
un peu laissées de côté. Au niveau de généralité où nous voici,
elles se laissent inscrire dans la même loi dont elles forment un
cas particulier. Nous disons facilement qu'un homme fait le
singe, ou qu'il se bat comme un lion, comme un aigle, etc. ; le
surnaturel commence à partir du moment où l'on glisse des mots
aux choses que ces mots sont censés désigner. Les métamorphoses forment donc à leur tour une transgression de la séparation
entre matière et esprit, telle que généralement elle est conçue.
Remarquons, ici encore, qu'il n'y a pas rupture entre l'imagerie
apparemment conventionnelle des *Mille et une nuits* et celle,
plus « personnelle », des écrivains du xixe siècle. Gautier établit la liaison en décrivant ainsi sa propre transformation en
pierre : « En effet, je sentais mes extrémités se pétrifier, et le
marbre m'envelopper jusqu'aux hanches comme la **Daphné** des

Tuileries ; j'étais statue jusqu'à mi-corps, ainsi que ces princes enchantés des *Mille et une nuits* » (p. 208). Dans le même conte, le narrateur reçoit une tête d'éléphant ; plus tard, on assiste à la métamorphose de l'homme-mandragore : « Cela paraissait beaucoup contrarier l'homme-mandragore, qui s'amoindrissait, s'aplatissait, se décolorait et poussait des gémissements inarticulés ; enfin il perdit toute apparence humaine, et roula sur le parquet sous la forme d'un salsifis à deux pivots » (p. 212).

Dans *Aurélia,* on observe des métamorphoses semblables. Là, une dame « entoura gracieusement de son bras nu une longue tige de rose trémière, puis elle se mit à grandir sous un clair rayon de lumière, de telle sorte que peu à peu le jardin prenait sa forme, et les parterres et les arbres devenaient les rosaces et les festons de ses vêtements » (p. 268). Ailleurs, des monstres se livrent des combats pour se dépouiller de leurs formes bizarres et devenir hommes et femmes ; « d'autres revêtaient, dans leurs transformations, la figure des bêtes sauvages, des poissons et des oiseaux » (p. 272).

On peut dire que le dénominateur commun des deux thèmes, métamorphoses et pan-déterminisme, est la rupture (c'est-à-dire aussi la mise en lumière) de la limite entre matière et esprit. Du coup, nous voici autorisés à avancer une hypothèse quant au principe générateur de tous les thèmes réunis dans ce premier réseau : *le passage de l'esprit à la matière est devenu possible.*

On peut trouver, dans les textes que nous examinons, des pages où ce principe se laisse directement saisir. Nerval écrit : « Du point où j'étais alors, je descendis, suivant mon guide, dans une de ces hautes habitations dont les toits réunis présentaient cet aspect étrange. Il me semblait que mes pieds s'enfonçaient dans les couches successives des édifices ·de différents âges » (p. 264). Le passage mental d'un âge à l'autre devient ici passage physique. Les mots se confondent avec les choses. De même chez Gautier : quelqu'un a prononcé la phrase : « C'est aujourd'hui qu'il faut mourir de rire ! » Elle risque de devenir réalité palpable : « La frénésie joyeuse était à son plus haut point ; on n'entendait plus que des soupirs convulsifs, des gloussements inarticulés. Le rire avait perdu son timbre et tournait au grognement, le spasme succédait au plaisir ; le refrain de Daucus-Carota allait devenir vrai » (p. 202).

Entre idée et perception, le passage est aisé. Le narrateur d'*Aurélia* entend ces paroles : « Notre passé et notre avenir sont solidaires. Nous vivons en notre race et notre race vit en nous.

Cette *idée* me devint aussitôt *sensible* et, comme si les murs de la salle se fussent ouverts sur des perspectives infinies, il me semblait voir une chaîne non interrompue d'hommes et de femmes en qui j'étais et qui étaient en moi-même » (p. 262, c'est moi qui souligne). L'idée devient aussitôt sensible. Voici un exemple inverse, où la sensation se transforme en idée : « Ces escaliers sans nombre que tu te fatiguais à descendre ou à gravir étaient les liens mêmes de tes anciennes illusions qui embarrassaient ta pensée... » (p. 309).

Il est curieux d'observer ici que pareille rupture des limites entre matière et esprit était considérée, au XIXᵉ siècle en particulier, comme la première caractéristique de la folie. Les psychiatres posaient généralement que l'homme « normal » dispose de plusieurs cadres de référence et attache chaque fait à l'un d'entre eux seulement. Le psychotique, au contraire, ne serait pas capable de distinguer ces différents cadres entre eux et confondrait le perçu et l'imaginaire. « Il est notoire que l'aptitude des schizophrènes à séparer les domaines de la réalité et de l'imagination est affaiblie. Contrairement à la pensée dite normale qui aura à rester à l'intérieur du même domaine, ou cadre de référence, ou univers de discours, la pensée des schizophrènes n'obéit pas aux exigences d'une référence unique » (Angyal, in Kasanin, p. 119).

Le même effacement des limites est à la base de l'expérience de la drogue. Watts écrit au début même de sa description : « La plus grande des superstitions consiste dans la séparation du corps et de l'esprit » (p. 3). On trouve le même trait, curieusement, chez le nourrisson ; selon Piaget, « au début de son évolution, l'enfant ne distingue pas le monde psychique du monde physique » (*Naissance de l'intelligence chez l'enfant*). Cette manière de décrire le monde de l'enfance demeure évidemment prisonnière d'une vision adulte, où précisément les deux mondes sont distingués ; ce qu'on manie est un simulacre adulte de l'enfance. Mais c'est justement ce qui se passe dans la littérature fantastique : la limite entre matière et esprit n'y est pas ignorée, comme dans la pensée mythique par exemple ; elle reste présente, pour fournir le prétexte à des transgressions incessantes. Gautier écrivait : « Je ne sentais plus mon corps ; les liens de la matière et de l'esprit étaient déliés » (p. 204).

Cette loi que nous trouvons à la base de toutes les déformations apportées par le fantastique à l'intérieur de notre réseau de thèmes, a quelques conséquences immédiates. Ainsi, on peut y généraliser le phénomène des métamorphoses et dire qu'une personne se multipliera facilement. Nous nous ressentons tous *comme* plusieurs personnes : ici, l'impression s'incarnera au plan de la réalité *physique*. La déesse s'adresse au narrateur d'*Aurélia* : « Je suis la même que Marie, la même que ta mère, la même aussi que sous toutes les formes tu as toujours aimée » (p. 299). Ailleurs, Nerval écrit : « Une idée terrible me vint : " L'homme est double ", me dis-je. » « Je sens deux hommes en moi, a écrit un Père de l'Eglise. (...) Il y a en tout homme un spectateur et un acteur, celui qui parle et celui qui répond » (p. 277). La multiplication de la personnalité, prise à la lettre, est une conséquence immédiate du passage possible entre matière et esprit : on est plusieurs personnes mentalement, on le devient physiquement.

Une autre conséquence du même principe a plus d'extension encore : c'est l'effacement de la limite entre sujet et objet. Le schéma rationnel nous représente l'être humain comme un sujet entrant en relation avec d'autres personnes ou avec des choses qui lui restent extérieures, et qui ont statut d'objet. La littérature fantastique ébranle cette séparation abrupte. On écoute une musique, mais il n'y a plus l'instrument de musique, extérieur à l'auditeur et produisant les sons, d'une part, puis l'auditeur même, d'autre part. Gautier écrit : « Les notes vibraient avec tant de puissance qu'elles m'entraient dans la poitrine comme des flèches lumineuses ; bientôt l'air joué me parut sortir de moi-même (...) ; l'âme de Weber s'était incarnée en moi » (p. 203). De même chez Nerval : « Couché sur un lit de camp, j'entendais que les soldats s'entretenaient d'un inconnu arrêté comme moi et dont la voix avait retenti dans la même salle. Par un singulier effet de vibration, il me semblait que cette voix résonnait dans ma poitrine » (p. 258).

On regarde un objet ; mais il n'y a plus de frontière entre l'objet, avec ses formes et ses couleurs, et l'observateur. Encore Gautier : « Par un prodige bizarre, au bout de quelques minutes de contemplation, je me fondais avec l'objet fixé, et je devenais moi-même cet objet. »

Pour que deux personnes se comprennent, il n'est plus nécessaire qu'elles se parlent : chacune peut devenir l'autre et savoir ce que cet autre pense. Le narrateur d'*Aurélia* en fait l'expérience lorsqu'il rencontre son oncle. « Il me fit placer près de lui et une sorte de communication s'établit entre nous ; car je ne puis dire que j'entendisse sa voix ; seulement, à mesure que ma pensée se portait sur un point, l'explication m'en devenait claire aussitôt » (p. 261). Ou encore : « Sans rien demander à mon guide, je compris par intuition que ces hauteurs et en même temps ces profondeurs étaient la retraite des habitants primitifs de la montagne » (p. 265). Puisque le sujet n'est plus séparé de l'objet, la communication se fait directement, et le monde entier se trouve pris dans un réseau de communication généralisée. Voici comment s'exprime cette conviction chez Nerval :

« Cette pensée me conduisit à celle qu'il y avait une vaste conspiration de tous les êtres animés pour rétablir le monde dans son harmonie première, et que les communications avaient lieu par le magnétisme des astres, qu'une chaîne non interrompue liait autour de la terre les intelligences dévouées à cette communication générale, et les chants, les danses, les regards, aimantés de proche en proche, traduisaient la même aspiration » (p. 303).

Remarquons à nouveau la proximité de cette constante thématique de la littérature fantastique avec une des caractéristiques fondamentales du monde de l'enfant (ou, plus exactement, comme nous l'avons vu, avec son simulacre adulte). Piaget écrit : « Au point de départ de l'évolution mentale il n'existe à coup sûr aucune différenciation entre le moi et le monde extérieur » (*Six études*, p. 20). De même pour le monde de la drogue. « L'organisme et le monde environnant forment un schème d'action unique et intégral, dans lequel il n'y a pas de sujet ni d'objet, d'agent ni de patient » (Watts, p. 62). Ou encore : « Je commence à sentir que le monde est à la fois à l'intérieur et à l'extérieur de ma tête (...). Je ne regarde pas le monde, je ne me pose pas en face de lui ; je le connais par un processus continu qui le transforme en moi-même » (p. 29). Il en va de même, enfin, pour les psychotiques. Goldstein écrit : « Il [le psychotique] ne considère pas l'objet comme une partie d'un monde extérieur ordonné, séparé de lui, comme le fait la personne normale » (in Kasanin, p. 23). « Les frontières normales entre le moi et le monde disparaissent, on trouve à la place une sorte de fusion cosmique... » (p. 40). Nous essaierons plus loin d'interpréter ces ressemblances.

Le monde physique et le monde spirituel s'interpénètrent ; leurs catégories fondamentales se trouvent modifiées en conséquence. Le temps et l'espace du monde surnaturel, tels qu'ils sont décrits dans ce groupe de textes fantastiques, ne sont pas le temps et l'espace de la vie quotidienne. Le temps semble ici suspendu, il se prolonge bien au-delà de ce qu'on croit possible. Ainsi pour le narrateur d'*Aurélia* : « Ce fut le signal d'une révolution complète parmi les esprits qui ne voulurent pas reconnaître les nouveaux possesseurs du monde. Je ne sais combien de mille ans durèrent ces combats qui ensanglantèrent le globe » (p. 272). Le temps est aussi l'un des thèmes principaux du *Club des hachichins*. Le narrateur est pressé, mais ses mouvements sont incroyablement lents. « Je me levai avec beaucoup de peine et me dirigeai vers la porte du salon, que je n'atteignis qu'au bout d'un temp considérable, une puissance inconnue me forçant de reculer d'un pas sur trois. A mon calcul, je mis dix ans à faire ce trajet » (p. 207). Il descend ensuite un escalier ; mais les marches semblent interminables. « Je parviendrai au bas le lendemain du jugement dernier », se dit-il, et quand il arrive : « Ce manège dura mille ans, à mon compte » (p. 208-209). Il doit arriver à onze heures ; mais on lui dit, à un moment donné : « Jamais tu n'arriveras à onze heures ; voilà quinze cents ans que tu es parti » (p. 210). Le neuvième chapitre de la nouvelle raconte la scène de l'enterrement du temps ; il s'intitule : « Ne croyez pas aux chronomètres. » On déclare au narrateur : « Le Temps est mort ; désormais il n'y aura plus ni années, ni mois, ni heures ; le Temps est mort et nous allons à son convoi (...). — Grand Dieu ! m'écriai-je frappé d'une idée subite, s'il n'y a plus de temps, quand pourra-t-il être onze heures ?... » (p. 211). Encore une fois, la même métamorphose s'observe dans l'expérience de la drogue où le temps semble « suspendu », et chez le psychotique, qui vit dans un présent éternel, sans idée de passé ni d'avenir.

L'espace est transformé de même façon. Voici quelques exemples, pris dans *le Club des hachichins*. Description d'un escalier : « Ses deux bouts noyés d'ombre me semblaient plonger dans le ciel et dans l'enfer, deux gouffres ; en levant la tête, j'apercevais indistinctement, dans une perspective prodigieuse, des superpositions de paliers innombrables, des rampes à gravir comme pour arriver au sommet de la tour de Lylacq ; en la baissant, je pressentais des abîmes de degrés, des tourbillons de spirales, des éblouissements de circonvolutions » (p. 208). Description d'une cour intérieure : « La cour avait pris les proportions du Champ-de-Mars, et s'était en quelques heures bordée d'édifices géants qui découpaient sur l'horizon une dentelure d'aiguilles, de coupoles, de tours, de pignons, de pyramides, dignes de Rome et de Babylone » (p. 209).

Nous n'essayons pas ici de décrire exhaustivement une œuvre particulière, ni même un thème ; l'espace chez Nerval, par exemple, demanderait, à lui seul, une étude très étendue. Ce qui nous importe est de signaler les principales caractéristiques du monde dans lequel les événements surnaturels surgissent.

Résumons. Le principe que nous avons découvert se laisse désigner comme la mise en question de la limite entre matière et esprit. Ce principe engendre plusieurs thèmes fondamentaux : une causalité particulière, le pan-déterminisme ; la multiplication de la personnalité ; la rupture de la limite entre sujet et objet ; enfin, la transformation du temps et de l'espace. Cette liste n'est pas exhaustive, mais on peut dire qu'elle rassemble les éléments essentiels du premier réseau de thèmes fantastiques. Nous avons assigné à ces thèmes, pour des raisons qui apparaîtront plus tard, le nom de thèmes du *je*. On a relevé, en tout cas, au long de cette analyse, une correspondance entre les thèmes fantastiques groupés ici, d'une part, et, d'autre part, les catégories dont il faut user pour décrire le monde du drogué, du psychotique, ou celui du jeune enfant. De là qu'une remarque de Piaget semble s'appliquer mot pour mot à notre objet : « Quatre processus fondamentaux caractérisent cette révolution intellectuelle accomplie durant les deux premières années de l'existence : ce sont les constructions des catégories de l'objet et de l'espace, de la causalité et du temps » (*Six études,* p. 20).

On peut caractériser encore ces thèmes en disant qu'ils concernent essentiellement la structuration du rapport entre l'homme et le monde ; nous sommes, en termes freudiens, dans le système *perception-conscience*. C'est un rapport relativement statique, en ce sens qu'il n'implique pas d'actions particulières, mais plutôt une position ; une perception du monde plutôt qu'une interaction avec lui. Le terme de perception est ici important : les œuvres liées à ce réseau thématique en font sans cesse ressortir la problématique, et tout particulièrement celle du sens fondamental, la vue (« les cinq sens qui n'en sont qu'un seul, la faculté de voir », disait Louis Lambert) : au point qu'on pourrait désigner tous ces thèmes comme des « thèmes du regard ».

Regard. Ce mot nous permettra d'abandonner rapidement des réflexions trop abstraites et de revenir aux histoires fantastiques que nous venons de quitter. Il sera facile de vérifier la relation entre les thèmes énumérés et le regard dans *la Princesse Brambilla* de Hoffmann. Le thème de cette histoire fantastique est la division de la personnalité, le dédoublement et, d'une manière plus générale, le jeu entre rêve et réel, esprit et matière. Significativement, toute apparition d'un élément surnaturel est accompagnée par l'introduction parallèle d'un élément appartenant au domaine du regard. Ce sont en particulier les lunettes et le miroir qui permettent de pénétrer dans l'univers merveilleux. Ainsi le charlatan Celionati proclame à la foule, après avoir annoncé que s'y trouve présente la princesse : « Pourriez-vous reconnaître même l'illustre princesse Brambilla, quand elle passerait devant vous ? Non, vous ne le pourrez pas, si vous ne vous servez des lunettes fabriquées par le grand magicien indien Ruffiamonte... (...) Et le charlatan ouvrit une boîte dont il tira une quantité prodigieuse d'énormes lunettes... » (t. III, p. 19). Les lunettes seules ouvrent l'accès au merveilleux.

Il en va de même du miroir, cet objet dont Pierre Mabille indiquait justement la parenté avec « merveille », d'une part, et regard (« se mirer »), de l'autre. Le miroir est présent à tous les moments où les personnages du conte doivent faire un pas décisif vers le surnaturel (cette relation est attestée dans presque tous les textes fantastiques). « Tout à coup les deux amants, le prince Cornelio Chiapperi et la princesse Brambilla, se réveillèrent de leur profonde léthargie et, se trouvant sur le bord du bassin, se regardèrent avec empressement dans ses eaux transparentes. Mais à peine se sont-ils vus dans ce miroir, qu'ils se reconnaissent enfin... » (p. 131). La véritable richesse, le vrai bonheur (et ceux-ci se trouvent dans le monde du merveilleux) ne sont accessibles qu'à ceux qui parviennent à (se) regarder dans le miroir : « Tous ceux-là sont riches et heureux qui, comme nous, ont pu se regarder et se reconnaître, eux, leur vie, et tout leur être, dans le clair et magique miroir de la fontaine Urdar » (p. 136-137). C'est grâce aux lunettes seulement que Giglio pouvait reconnaître la princesse Brambilla, c'est grâce au miroir que tous deux peuvent commencer une vie merveilleuse.

La « raison » qui refuse le merveilleux le sait bien, elle qui renie aussi le miroir. « Beaucoup de philosophes défendirent formellement de regarder dans le miroir d'eau, parce qu'en voyant ainsi le monde et soi-même à l'envers, on pouvait avoir des vertiges » (p. 55). Et encore : « Beaucoup de spectateurs qui voyaient dans ce miroir toute la nature et leur propre image, jetaient en se relevant des cris de douleur et de colère. Ils dirent qu'il était contraire à la raison, à la dignité de l'espèce humaine, à la sagesse qu'on avait acquise par une si longue et si pénible expérience, de voir ainsi le monde et soi-même à l'envers » (p. 88). La « raison » se déclare contre le miroir qui n'offre pas le monde mais une image du monde, une matière dématérialisée, bref une contradiction au regard de la loi de non-contradiction.

Il serait donc plus juste de dire que chez Hoffmann ce n'est pas le regard lui-même qui se trouve lié au monde du merveilleux, mais ces symboles du regard indirect, faussé, subverti, que sont les lunettes et le miroir. Giglio établit lui-même l'opposition entre les deux types de vision, ainsi que leur relation avec le merveilleux. Lorsque Celionati lui déclare qu'il souffre d'un « dualisme chronique », Giglio refuse cette expression comme « allégorique », et définit ainsi son état : « Je souffre

d'une ophtalmie, pour avoir trop tôt porté des lunettes »
(p. 123). Regarder au travers de lunettes fait découvrir un autre
monde et fausse la vision normale ; le trouble est semblable à
celui provoqué par le miroir : « Je ne sais quoi s'est dérangé
dans mes yeux, car le plus souvent je vois tout à l'envers »
(p. 123). La vision pure et simple nous découvre un monde plat,
sans mystères. La vision indirecte est la seule voie vers le merveilleux. Mais ce dépassement de la vision, cette transgression
du regard, ne sont-ils pas son symbole même, et comme son
éloge le plus grand ? Les lunettes et le miroir deviennent l'image
d'un regard qui n'est plus simple moyen de joindre l'œil à un
point de l'espace, qui n'est plus purement fonctionnel, transparent, transitif. Ces objets sont, en quelque sorte, du regard
matérialisé ou opaque, une quintessence du regard. On trouve
d'ailleurs la même ambiguïté féconde dans le mot « vision-
naire » : c'est celui qui voit et ne voit pas, à la fois degré
supérieur et négation de la vision. C'est pourquoi, voulant exal-
ter les yeux, Hoffmann a besoin de les identifier à des miroirs :
« Ses yeux [ceux d'une fée puissante] sont le miroir où toute
folie d'amour se réfléchit, se reconnaît, et s'admire avec joie »
(p. 75).

La Princesse Brambilla n'est pas l'unique conte d'Hoffmann
dont le regard est le thème prédominant : on est littéralement
envahi, dans son œuvre, par des microscopes, des lorgnettes,
de faux ou de vrais yeux, etc. D'ailleurs, Hoffmann n'est pas
le seul conteur qui permette d'établir la relation de notre réseau
de thèmes avec le regard. Il faut cependant être prudent dans la
recherche d'un tel parallélisme : si les mots « regard »,
« vision », « miroir », etc., apparaissent dans un texte, cela ne
signifie pas encore que nous sommes en face d'une variante
du « thème du regard ». Ce serait là postuler pour chaque
unité minimale du discours littéraire un sens unique et définitif ;
ce à quoi nous nous sommes précisément refusé.

Chez Hoffmann, du moins, il y a bien coïncidence entre le
« thème du regard » (tel qu'il a pris place dans notre lexique

descriptif) et les « images du regard », telles qu'on les découvre dans le texte lui-même ; c'est en quoi son œuvre est particulièrement révélatrice.

On voit aussi qu'il est possible de qualifier ce premier réseau de thèmes de plus d'une manière, suivant le point de vue auquel on se place. Avant de choisir entre elles ou même simplement de les préciser, nous devrons parcourir un autre réseau thématique.

Les thèmes du tu

Une page de Louis Lambert. - *Le désir sexuel pur et intense.* - *Le diable et la libido.* - *La religion, la chasteté et la mère.* - *L'inceste.* - *L'homosexualité.* - *L'amour à plus de deux.* - *Cruauté, qui provoque ou non le plaisir.* - *La mort : contiguïtés et équivalences avec le désir.* - *La nécrophilie et les vampires.* - *Le surnaturel et l'amour idéal.* - *L'autre et l'inconscient.*

Le roman de Balzac *Louis Lambert* représente une des explorations les plus poussées de ce que nous avons appelé les thèmes du *je*. Louis Lambert est un être en qui s'incarnent, comme dans le narrateur d'*Aurélia*, tous les principes qui se sont dégagés de notre analyse. Lambert vit dans le monde des idées mais les idées y sont devenues sensibles ; il explore l'invisible comme d'autres le font pour une île inconnue.

Survient un événement auquel on ne s'était jamais heurté dans les autres textes qui relèvent du précédent réseau thématique. Louis Lambert décide de se marier. Il est tombé amoureux non d'une chimère, d'un souvenir ou d'un rêve, mais d'une femme bien réelle ; le monde des plaisirs physiques commence à s'ouvrir lentement à ses sens qui ne percevaient jusqu'alors que l'invisible. Lambert lui-même ose à peine y croire : « Quoi ! nos sentiments si purs, si profonds, prendront les formes délicieuses des mille caresses que j'ai rêvées. Ton petit pied se déchaussera pour moi, tu seras toute à moi ! » écrit-il à sa fiancée (p. 436). Et le narrateur résume ainsi cette métamorphose surprenante : « Les lettres que le hasard a conservées accusent d'ailleurs assez bien sa transition de l'idéalisme pur dans lequel il vivait au sensualisme le plus aigu » (p. 441). La connaissance de la chair s'ajoutera à celle de l'esprit.

Soudain, le malheur se produit. La veille de son mariage Louis Lambert devient fou. Il tombe d'abord dans un état cataleptique ; ensuite dans une mélancolie profonde dont la cause directe semble l'idée qu'il se fait de son impuissance. Les médecins le déclarent incurable et Lambert, enfermé dans une maison de campagne, s'éteint après quelques années de silence, d'apathie et d'instants de lucidité fugitifs. Pourquoi ce développement tragique ? Le narrateur, son ami, tente plusieurs explications. « L'exaltation à laquelle dut le faire arriver l'attente du plus grand plaisir physique, encore agrandie chez lui par la chasteté du corps et par la puissance de l'âme, avait bien pu déterminer cette crise dont les résultats ne sont pas plus connus que la cause » (p. 440-441). Mais, au-delà de ces causes psychiques ou physiques, se trouve suggérée une raison qu'on pourrait presque qualifier de formelle. « Peut-être a-t-il vu dans les plaisirs de son mariage un obstacle à la perfection de ses sens intérieurs et à son vol à travers les mondes spirituels » (p. 443). On devrait donc choisir entre la satisfaction des sens extérieurs ou intérieurs ; vouloir les satisfaire tous mène à ce scandale formel qu'on appelle : folie.

Allant plus loin, nous dirons que le scandale formel attesté dans le livre se double d'une transgression proprement littéraire : deux thèmes incompatibles se sont trouvés mis côte à côte, dans le même texte. Nous pourrons partir de cette incompatibilité pour fonder la différence entre deux réseaux de thèmes : le premier, que nous connaissons déjà sous le nom des thèmes du *je* ; le second, où nous trouvons pour l'instant la sexualité, sera désigné par « les thèmes du *tu* ». Gautier a d'ailleurs relevé la même incompatibilité dans *le Club des hachichins* : « Rien de matériel ne se mêlait à cette extase ; aucun désir terrestre n'en altérait la pureté. D'ailleurs l'amour lui-même n'aurait pu l'augmenter, Roméo hachichin eût oublié Juliette. (...) Je dois convenir que la plus belle fille de Vérone,

pour un hachichin, ne vaut pas la peine de se déranger »
(p. 205).

Il existe donc un thème que nous ne rencontrerons jamais
dans les œuvres qui font apparaître le pur réseau des thèmes du
je, mais qui revient, en revanche, avec insistance dans d'autres
textes fantastiques. La présence ou l'absence de ce thème
nous procure un critère formel pour distinguer, à l'intérieur de
la littérature fantastique, deux champs, constitués chacun par
un nombre considérable d'éléments thématiques.

Louis Lambert et *le Club des hachichins,* œuvres qui présentent d'abord des thèmes du *je,* définissent de l'extérieur, comme
en creux, ce nouveau thème de la *sexualité.* Si nous examinons
à présent des œuvres qui appartiennent au deuxième réseau,
nous pourrons observer les ramifications qu'y reçoit ce thème.
Le désir sexuel peut y atteindre une puissance insoupçonnée :
il ne s'agit pas d'une expérience parmi d'autres, mais de ce
qu'il y a de plus essentiel dans la vie. Témoin Romuald, le prêtre de *la Morte amoureuse* : « Pour avoir levé une seule fois le
regard sur une femme, pour une faute en apparence si légère,
j'ai éprouvé pendant plusieurs années les plus misérables agi-
tations : ma vie a été troublée à tout jamais » (p. 94). Et
encore : « Ne regardez jamais une femme, et marchez toujours
les yeux fixés en terre, car, si chaste et si calme que vous soyez,
il suffit d'une minute pour vous faire perdre l'éternité »
(p. 117).

Le désir sexuel exerce ici sur le héros une emprise exceptionnelle. *Le Moine* de Lewis, qui conserve une actualité à
cause surtout de ses descriptions poignantes du désir, nous offre
peut-être de cela les meilleurs exemples. Le moine Ambrosio est
d'abord tenté par Mathilde. « Elle leva le bras et fit le geste
de se frapper. Les yeux du moine suivirent avec terreur les
mouvements de son arme. Son habit entrouvert laissait voir sa
poitrine à demi nue. La pointe du fer pesait sur son sein gau-

che, et, mon Dieu, quel sein ! Les rayons de la lune qui l'éclairaient en plein permettaient au prieur d'en observer la blancheur éblouissante. Son œil se promena avec une avidité insatiable sur le globe charmant. Une sensation jusqu'alors inconnue remplit son cœur d'un mélange d'angoisse et de volupté. Un feu bouillonnant parcourut ses membres et mille désirs effrénés emportèrent son imagination. — Arrêtez ! cria-t-il d'une voix éperdue. Je ne résiste plus » (p. 76).

Plus tard, le désir d'Ambrosio change d'objet mais non d'intensité. La scène où le moine observe Antonia dans un miroir magique pendant que celle-ci se prépare à prendre son bain, en est une preuve ; encore une fois, « ses désirs s'étaient mués en frénésie » (p. 227). Et encore, au cours d'un viol manqué d'Antonia : « Son cœur lui battait dans la bouche, tandis que de l'œil il dévorait ces formes qui allaient bientôt être sa proie » (p. 249). « Il éprouva un plaisir vif et rapide qui l'enflamma jusqu'à la frénésie » (p. 250), etc. Il s'agit bien d'une expérience incomparable à aucune autre, par son intensité.

Il ne sera pas surprenant, dès lors, d'en découvrir la relation au surnaturel : nous savons déjà que celui-ci apparaît toujours dans une expérience des limites, dans des états « superlatifs ». Le désir, comme tentation sensuelle, trouve son incarnation dans quelques-unes des figures les plus fréquentes du monde surnaturel, en particulier dans celle du diable. On peut dire, en simplifiant, que diable n'est qu'un autre mot pour désigner la *libido*. La séduisante Mathilde dans *le Moine* est, nous l'apprendrons, « un esprit secondaire mais malin », serviteur fidèle de Lucifer. Et déjà dans *le Diable amoureux* on dispose d'un exemple non ambigu de l'identité du diable et de la femme ou, plus exactement, du désir sexuel. Chez Cazotte, le diable ne cherche pas à s'emparer de l'âme éternelle d'Alvare ; tout comme une femme, il se contente de le posséder ici-bas, sur terre. L'ambiguïté où se trouve maintenu le déchiffrement du lecteur tient en grande partie au fait que le comportement de Biondetta ne diffère en rien de celui d'une femme amoureuse.

Prenons cette phrase : « Selon un bruit général, autorisé par beaucoup de lettres, un lutin a enlevé un capitaine aux gardes du roi de Naples et l'a conduit à Venise » (p. 223). Ne sonne-t-elle pas comme la constatation d'un fait mondain, où le mot « lutin », loin de désigner un être surnaturel, semble si bien s'appliquer à une femme ? Et dans son épilogue Cazotte le confirme : « Il arrive à sa victime ce qui pourrait arriver à un galant homme, séduit par les plus honnêtes apparences » (p. 287). Il n'y a pas de différence entre une simple aventure galante et celle d'Alvare avec le diable ; le diable, c'est la femme en tant qu'objet du désir.

Il n'en va pas autrement dans le *Manuscrit trouvé à Saragosse*. Lorsque Zibeddé essaye de séduire Alphonse, il lui semble voir des cornes pousser sur le front de sa belle cousine. Thibaud de la Jacquière croit posséder Orlandine et être « le plus heureux des hommes » (p. 172) : mais au sommet du plaisir, Orlandine se transforme en Belzébuth. Dans une autre des histoires enchâssées, on rencontre ce symbole transparent, les bonbons du diable, des bonbons qui provoquent le désir sexuel et que le diable fournit de bonne grâce au héros. « Zorilla trouva ma bonbonnière ; elle mangea deux pastilles et en offrit à sa sœur. Bientôt ce que j'avais cru voir acquit quelque réalité : les deux sœurs furent dominées par un sentiment intérieur et s'y livraient sans le connaître. (...) Leur mère entra. (...) Ses regards, en évitant les miens, tombèrent sur la bonbonnière fatale ; elle y prit quelques pastilles et s'en alla. Bientôt elle revint, me caressa encore, m'appela son fils, et me serra dans ses bras. Elle me quitta avec un sentiment de peine et de grands efforts sur elle-même. Le trouble de mes sens alla jusqu'à l'emportement : je sentais le feu circuler dans mes veines, je voyais à peine les objets environnants, un nuage couvrait ma vue.

Je pris le chemin de la terrasse : la porte des jeunes filles était entrouverte, je ne pus me défendre d'entrer : le désordre de leurs sens était plus excessif que le mien ; il m'effraya. Je voulus m'arracher de leurs bras, je n'en eus pas la force. Leur mère entra ; le reproche expira sur sa bouche : bientôt elle perdit le droit de nous en faire » (p. 253-254). D'ailleurs une fois la bonbonnière vide, le transport des sens ne s'interrompt pas ; le don du diable est bien l'éveil du désir, que plus rien ne peut arrêter ensuite.

Le sévère abbé Sérapion, dans *la Morte amoureuse,* ira plus loin encore dans cette mise en place thématique : la courtisane Clarimonde qui fait du plaisir son métier n'est pour lui rien d'autre que « Belzébuth en personne » (p. 102). En même temps, la personne de l'abbé illustre l'autre terme de l'opposition : soit Dieu, et plus encore, ses représentants sur terre, les serviteurs de la religion. C'est d'ailleurs la définition que donne Romuald de son nouvel état : « Etre prêtre ! c'est-à-dire chaste, ne pas aimer, ne distinguer ni le sexe ni l'âge... » (p. 87). Et Clarimonde sait quel est son adversaire direct : « Ah ! que je suis jalouse de Dieu, que tu as aimé et que tu aimes encore plus que moi ! » (p. 105).

Le moine idéal, tel qu'il apparaît en Ambrosio, au début du roman de Lewis, est l'incarnation de l'asexualité. « Il passe d'ailleurs [dit un autre personnage], pour observer si strictement son vœu de chasteté qu'il est absolument incapable de discerner la différence qui existe entre un homme et une femme » (p. 29).

Alvare, le héros du *Diable amoureux,* vit dans la conscience de la même opposition ; et lorsqu'il croit avoir péché en communiquant avec le diable, il décide de renoncer aux femmes et de se faire moine : « Prenons l'état ecclésiastique. Sexe charmant, il faut que je renonce à vous... » (p. 276-277). Affirmer la sensualité, c'est nier la religion ; c'est pourquoi Vathek, le calife qui ne se soucie que de ses plaisirs, se plaît dans le sacrilège et le blasphème.

On retrouve la même opposition dans le *Manuscrit trouvé à Saragosse.* L'objet qui empêche les deux sœurs de se donner à Alphonse est le médaillon que porte celui-ci : « C'est un joyau que ma mère m'a donné et que j'ai promis de porter toujours ; il contient un morceau de la vraie croix » (p. 58) ; et le jour où elles l'accueillent dans leur lit, Zibeddé coupe au préalable le ruban du médaillon. La croix est incompatible avec le désir sexuel.

La description du médaillon fournit un autre élément qui appartient à la même opposition : la mère comme opposée à la femme. Pour que les cousines d'Alphonse enlèvent leurs ceintures de chasteté, il faut que soit écarté le médaillon, cadeau de la mère. Et dans *la Morte amoureuse* on trouve cette phrase curieuse : « Je ne me souvenais pas plus d'avoir été prêtre que de ce que j'avais fait dans le sein de ma mère » (p. 108). Il y a une sorte d'équivalence entre la vie dans le corps de la mère et l'état de prêtre, c'est-à-dire le refus de la femme comme objet du désir.

Cette équivalence occupe une place centrale dans *le Diable amoureux*. La force qui empêche Alvare de se livrer totalement à la femme-diable Biondetta, est précisément l'image de sa mère ; elle apparaîtra à tous les instants décisifs de l'intrigue. Voici un rêve d'Alvare où l'opposition se manifeste sans aucun travestissement : « Je crus voir ma mère en rêve (...). Comme nous passions dans un défilé étroit où je m'engageais avec sécurité, une main tout à coup me pousse dans un précipice ; je la reconnais, c'est celle de Biondetta. Je tombais, une autre main me retire, et je me trouve entre les bras de ma mère » (p. 190-191). Le diable pousse Alvare dans le précipice de la sensualité : sa mère le retient. Mais Alvare cède toujours plus aux charmes de Biondetta et sa chute est proche. Un jour, se promenant dans les rues de Venise et surpris par la pluie, il se réfugie dans une église ; en s'approchant d'une des statues, il croit reconnaître en elle sa mère. Il comprend alors que son amour naissant pour Biondetta la lui faisait oublier, décide de quitter la jeune femme et de revenir à la première : « Mettons-nous encore une fois sous ce cher abri » (p. 218).

Le diable-désir s'emparera d'Alvare avant que celui-ci n'ait trouvé protection auprès de sa mère. La défaite d'Alvare sera complète : mais non pas définitive pour autant ; tout comme s'il s'agissait d'une simple relation galante, le docteur Quebracuernos lui indique la voie du salut : « Formez des liens légitimes avec une personne du sexe ; que votre respectable mère préside à votre choix... » (p. 285). La relation avec une femme, pour ne pas être diabolique, doit se voir surveillée et censurée maternellement.

Au-delà de cet amour intense mais « normal » pour une femme, la littérature fantastique illustre plusieurs transformations du désir. La plupart d'entre elles n'appartiennent pas vraiment au surnaturel, mais plutôt à un « étrange » social. L'inceste constitue ici une des variétés les plus fréquentes. On trouve déjà chez Perrault (*Peau d'âne*) le père criminel, amoureux de sa fille ; *les Mille et une nuits* rapportent des cas d'amour entre frère et sœur (*Histoire du premier calender*), entre mère et fils (*Histoire de Camaralzaman*). Dans *le Moine*, Ambrosio tombe amoureux de sa propre sœur, Antonia, la viole et la tue, après avoir assassiné leur mère. Dans l'épisode de Barkiarokh, dans *Vathek*, l'amour du héros pour sa fille manque de peu de s'accomplir.

L'homosexualité est une autre variété d'amour, que la littérature fantastique reprend souvent. *Vathek* peut nous servir encore d'exemple : non seulement dans la description des jeunes garçons massacrés par le Calife ou dans celle de Gulchenrouz, mais aussi et surtout dans l'épisode d'Alasi et Firouz, où la relation homosexuelle sera tardivement atténuée : le prince Firouz était en fait la princesse Firouzkah. Il est à remarquer que la littérature de cette époque joue souvent (comme le remarque André Parreaux dans le livre qu'il a consacré à Beckford) sur une ambiguïté quant au sexe de la personne aimée : ainsi de Biondetto-Biondetta dans *le Diable amoureux*,

Firouz-Firouzkah dans *Vathek,* Rosario-Mathilde, dans *le Moine.*

Une troisième variété du désir pourrait être caractérisée comme « l'amour à plus de deux », l'amour à trois en étant la forme la plus courante. Ce type d'amour n'a rien de surprenant dans les contes orientaux : ainsi, le troisième calender (dans *les Mille et une nuits*) vit-il tranquille avec ses quarante femmes. Dans une scène du *Manuscrit trouvé à Saragosse* citée plus haut, on a vu Hervas au lit avec trois femmes, la mère et ses deux filles.

En fait, le *Manuscrit* offre quelques exemples complexes qui combinent les variétés énumérées jusqu'ici. Ainsi de la relation d'Alphonse avec Zibeddé et Emina : elle est d'abord homosexuelle, car les deux filles vivent ensemble, avant de rencontrer Alphonse. Dans le récit qu'elle fait de leur jeunesse, Emina parle sans cesse de ce qu'elle nomme « nos inclinaisons », du « malheur de vivre l'une sans l'autre », du désir d' « épouser le même homme » pour ne pas avoir à se séparer. Cet amour est aussi de caractère incestueux, puisque Zibeddé et Emina sont des sœurs (Alphonse est d'ailleurs aussi un parent, leur cousin). Enfin, c'est toujours un amour à trois : ni l'une ni l'autre sœur ne rencontre Alphonse seule. Il en va à peu près de même pour Pascheco qui partage la couche d'Inésille et de Camille (cette dernière déclare : « Je prétends qu'un lit nous serve ce soir », p. 75) ; or Camille est la sœur d'Inésille ; la situation se complique encore du fait que Camille est la seconde femme du père de Pascheco, c'est-à-dire, en quelque sorte, sa mère, et Inésille, sa tante.

Le *Manuscrit* nous offre une autre variété de désir, proche du sadisme, avec la princesse de Mont-Salerno qui raconte comment elle se plaisait « à mettre la soumission de mes femmes à toutes sortes d'épreuves (...). Je les punissais soit en les pinçant, soit en leur enfonçant des épingles dans les bras et les cuisses », (p. 208), etc.

On touche là à la cruauté pure, dont l'origine sexuelle n'est pas toujours apparente. Cette origine, en revanche, se laisse identifier dans un passage de *Vathek* décrivant une joie sadique : « Carathis donnait de petits soupers pour se rendre agréable aux puissances ténébreuses. Les dames les plus fameuses par leur beauté y étaient invitées. Elle recherchait surtout les plus blanches et les plus délicates. Rien n'était aussi élégant que ces soupers; mais lorsque la gaieté devenait générale, ses eunuques faisaient couler sous la table des vipères, et y vidaient des pots remplis de scorpions. On pense bien que tout cela mordait à merveille. Carathis faisait semblant de ne pas s'en apercevoir, et personne n'osait bouger. Lorsqu'elle voyait que les convives allaient expirer, elle s'amusait à panser quelques plaies, avec une excellente thériaque de sa composition ; car cette bonne Princesse avait en horreur l'oisiveté » (p. 104).

Les scènes de cruauté, dans le *Manuscrit trouvé à Saragosse*, sont d'un esprit apparenté. Il s'agit de tortures qui provoquent un plaisir chez celui qui les inflige. En voici un premier exemple où la cruauté est si intense qu'elle est attribuée à des forces surnaturelles. Paschéco est torturé par les deux pendus-démons : « Alors l'autre pendu, qui m'avait saisi la jambe gauche, voulut aussi jouer de la griffe. D'abord il commença par me chatouiller la plante du pied qu'il tenait. Puis le monstre en arracha la peau, en sépara tous les nerfs, les mit à nu et voulut jouer dessus comme sur un instrument de musique; mais comme je ne rendais pas un son qui lui fît plaisir, il enfonça son ergot dans mon jarret, pinça les tendons et se mit à les tordre, comme on fait pour accorder une harpe. Enfin il se mit à jouer sur ma jambe dont il avait fait un psaltérion. J'entendis son rire diabolique » (p. 77-78).

Une autre scène de cruauté est bien le fait d'êtres humains : elle se trouve dans le discours adressé à Alphonse par le faux inquisiteur : « Mon cher fils, ne t'effraie point de ce que je vais te dire. On va te faire un peu de mal. Tu vois ces deux planches. On y mettra tes jambes, on les serrera avec une corde. Ensuite, on mettra entre tes jambes les coins que tu vois ici, et on les

enfoncera à coups de marteau. D'abord tes pieds enfleront.
Ensuite, le sang jaillira de tes orteils, et les ongles des autres
doigts tomberont tous. Ensuite la plante de tes pieds crèvera,
et l'on en verra sortir une graisse mêlée de chairs écrasées. Cela
te fera beaucoup de mal. Tu ne réponds rien ; aussi tout cela
n'est encore que la question ordinaire. Cependant tu t'évanoui-
ras. Voici des flacons, remplis de divers esprits, avec lesquels
on te fera revenir. Lorsque tu auras repris tes sens, on ôtera
ces coins, et l'on mettra ceux-ci, qui sont beaucoup plus
gros. Au premier coup tes genoux et tes chevilles se brise-
ront. Au second, tes jambes se fendront dans leur longueur.
La moelle en sortira et coulera sur cette paille, mêlée avec
ton sang. Tu ne veux pas parler ?... Allons, qu'on lui serre les
pouces » (p. 101).

On pourrait rechercher, à travers une analyse stylistique, les
moyens grâce auxquels ce passage atteint son effet. Le ton calme
et méthodique de l'inquisiteur y est certainement pour quelque
chose, de même que la précision des termes qui désignent les
parties du corps. Remarquons également que, dans les deux
derniers exemples, il s'agit d'une violence purement verbale :
les récits ne décrivent pas un événement proprement survenu
dans l'univers du livre. Bien que l'un soit au passé, l'autre, au
futur, tous deux relèvent en fait d'un mode non réel, virtuel :
ce sont des récits de menace. Alphonse ne vit pas ces cruautés,
ne les observe même pas, on les décrit, on les parle devant lui.
Ce ne sont pas les gestes qui sont violents, puisqu'il n'y a en
vérité aucun geste ; mais les mots. La violence s'exerce non
seulement à travers le langage (il n'est jamais question d'autre
chose en littérature), mais aussi proprement en lui. L'acte de
cruauté consiste dans l'articulation de certaines phrases, non
dans une succession d'actes effectifs.

Le Moine nous fait connaître une autre variété de cruauté,
non référée à qui l'exerce et ne provoquant donc pas une joie
sadique chez le personnage : la nature verbale de la violence,
ainsi que sa fonction, qui s'exerce directement sur le lecteur, en

deviennent plus claires encore. Les actes de cruauté ne visent pas ici à caractériser un personnage ; mais les pages où ils sont décrits renforcent et nuancent l'atmosphère de sensualité où baigne l'action. La mort d'Ambrosio nous fournit un exemple : celle de l'abbesse, dont Artaud, dans sa traduction, a fortement accusé la violence, est encore plus atroce. « Les mutins tenaient leur vengeance et n'étaient pas prêts à la laisser aller. Ils prodiguèrent à la supérieure les insultes les plus immondes, la traînèrent à terre et lui remplirent le corps et la bouche d'excréments ; ils se la lançaient les uns aux autres et chacun trouvait, pour l'accabler, quelque nouvelle atrocité. Ils piétinèrent ses cris à coups de bottes, la mirent nue et traînèrent son corps sur les pavés en la flagellant à mesure et en remplissant ses blessures avec des ordures et des crachats. Après l'avoir traînée par les pieds et s'être amusés à faire rebondir sur les pierres son crâne ensanglanté, ils la mettaient debout et la forçaient de courir à coups de pied. Puis, un caillou lancé d'une main experte lui troua la tempe ; elle tomba à terre où quelqu'un lui fit craquer le crâne d'un coup de talon, et au bout de quelques secondes elle expirait. On s'acharna sur elle et, bien qu'elle ne sentît rien et fût incapable de répondre, la canaille continua à l'appeler des noms les plus odieux. On roula son corps encore pendant une centaine de mètres et la foule ne se lassa que lorsque celui-ci ne présenta plus qu'une masse de chair sans nom » (p. 293 ; être « sans nom » est bien le dernier degré de la destruction).

La chaîne qui partait du désir et passait par la cruauté nous a fait rencontrer la mort ; la parenté de ces deux thèmes est au reste assez connue de tous. Leur relation n'est pas toujours la même, mais on peut dire qu'elle est toujours présente. Chez Perrault, par exemple, une équivalence s'établit entre l'amour sexuel et la mise à mort. Cela apparaît de manière explicite dans *le Petit Chaperon rouge* où se déshabiller, se mettre au lit avec un être de l'autre sexe, égale être mangé, périr. *Barbe-Bleue* répète la même morale : le sang caillé, qui évoque le sang menstruel, y entraînera l'arrêt de mort.

Dans *le Moine,* la relation des deux thèmes est de contiguïté plus que d'équivalence. C'est en essayant de posséder Antonia qu'Ambrosio tue sa mère ; c'est après l'avoir violée qu'il se voit obligé de la tuer. La scène du viol est d'ailleurs placée sous le signe de la proximité du désir et de la mort : « Le corps intact et tout blanc d'Antonia endormie reposant entre deux cadavres en complète putréfaction » (p. 317-318).

Cette variante de la relation, où le corps désirable se trouve rapproché du cadavre, sera prédominante chez Potocki ; mais on glisse là à nouveau de la contiguïté à la substitution. La femme désirable se transforme en cadavre : tel est le schéma de l'action, sans cesse répété, du *Manuscrit trouvé à Saragosse.* Alphonse s'endort avec les deux sœurs dans les bras ; à son réveil, il trouve à leur place deux cadavres. Il en sera de même pour Pascheco, Uzeda, Rebecca et Vélasquez. L'aventure de Thibaud de la Jacquière est encore plus grave : il croit faire l'amour avec une femme désirable, celle-ci devient à la fois diable et cadavre : « Orlandine n'était plus. Thibaud ne vit à sa place qu'un horrible assemblage de formes inconnues et hideuses. (...) Le lendemain matin des paysans ... y allèrent et trouvèrent Thibaud couché sur une charogne à demi pourrie » (p. 172). On voit la différence avec Perrault : chez ce dernier, la mort punit directement la femme qui se laisse aller à ses désirs ; chez Potocki, elle punit l'homme en transformant l'objet de son désir en cadavre.

La relation est autre encore chez Gautier. Le prêtre de *la Morte amoureuse* éprouve un trouble sensuel à contempler le corps mort de Clarimonde ; la mort ne la lui rend nullement odieuse, au contraire même, elle semble augmenter son désir. « Vous l'avouerai-je ? cette perfection de formes, quoique purifiée et sanctifiée par l'ombre de la mort, me troublait plus voluptueusement qu'il n'aurait fallu » (p. 98). Plus tard dans la

nuit, il ne se contente plus de contemplation. « La nuit s'avan-
çait et, sentant approcher le moment de la séparation éternelle,
je ne pus me refuser cette triste et suprême douceur de déposer
un baiser sur les lèvres mortes de celle qui avait eu tout mon
amour » (p.99).

Cet amour pour la morte, présenté ici sous une forme légèrement voilée et qui va chez Gautier de pair avec l'amour pour
une statue, pour une image de tableau, etc., porte le nom de
nécrophilie. Dans la littérature fantastique, la nécrophilie
revêt habituellement la forme d'un amour avec des vampires
ou avec des morts revenus parmi les vivants. Cette relation
peut à nouveau être présentée comme la punition d'un désir
sexuel excessif ; mais elle peut aussi ne pas recevoir une valo-
risation négative. Ainsi du rapport entre Romuald et Clarimonde : le prêtre découvre que Clarimonde est un vampire
femelle, mais cette découverte n'altère nullement ses sentiments.
Après avoir prononcé un monologue en honneur au sang,
devant un Romuald qu'elle croit endormi, Clarimonde passe à
l'action. « Enfin elle se décida, me fit une petite piqûre avec
son aiguille et se mit à pomper le sang qui en coulait. Quoiqu'elle en eût bu à peine quelques gouttes, la crainte de m'épuiser la prenant, elle m'entoura avec soin le bras d'une petite
bandelette après avoir frotté la plaie d'un onguent qui la cica-
trisa sur-le-champ.

Je ne pouvais plus avoir de doutes, l'abbé Sérapion avait
raison. Cependant, malgré cette certitude, je ne pouvais m'empêcher d'aimer Clarimonde, et je lui aurais volontiers donné
tout le sang dont elle avait besoin pour soutenir son existence
factice (...). Je me serais ouvert le bras moi-même et je lui
aurais dit : Bois ! et que mon amour s'infiltre dans ton corps
avec mon sang ! » (p. 113). La relation entre mort et sang,
amour et vie est ici évidente.

Lorsque vampires et diables se retrouvent « du bon côté »,
il faut s'attendre à ce que les prêtres et l'esprit religieux soient
condamnés et traités des pires noms : jusqu'à celui même du

diable ! Ce renversement intégral se produit également dans *la Morte amoureuse.* Ainsi de cette incarnation de la morale chrétienne, l'abbé Sérapion, qui se fait un devoir de déterrer le corps de Clarimonde et de la tuer une seconde fois : « Le zèle de Sérapion avait quelque chose de dur et de sauvage qui le faisait ressembler à un démon plutôt qu'à un apôtre ou à un ange... » (p. 115). Dans *le Moine,* Ambrosio s'étonne de voir la naïve Antonia lire la Bible : « Comment, pensa-t-il, elle lit la Bible et son innocence n'en est pas déflorée ? » (p. 215).

On retrouve donc, dans divers textes fantastiques, une même structure, mais valorisée différemment. Ou bien, au nom des principes chrétiens, l'amour charnel, intense, sinon excessif, et toutes ses transformations, sont condamnés ; ou bien ils sont loués : mais l'opposition est toujours la même, avec l'esprit religieux, la mère, etc. Dans les œuvres où l'amour n'est pas condamné, les forces surnaturelles interviennent pour l'aider à s'accomplir. On trouve de cela déjà un exemple dans *les Mille et une nuits* : où Aladin parvient à réaliser son désir à l'aide précisément des instruments magiques, la bague et la lampe. L'amour d'Aladin pour la fille du sultan serait resté à jamais un rêve, sans l'intervention des forces surnaturelles.

De même chez Gautier. Par la vie qu'elle conserve après sa mort, Clarimonde permet à Romuald de réaliser un amour idéal, même s'il est condamné par la religion officielle (et nous avons vu que l'abbé Sérapion n'était pas loin de ressembler, lui, aux démons). Aussi bien n'est-ce pas le repentir qui à la fin domine l'âme de Romuald : « Je l'ai regrettée plus d'une fois, dira-t-il, et je la regrette encore » (p. 116-117). Ce thème reçoit son plein développement dans le dernier conte fantastique de Gautier, *Spirite.* Guy de Malivert, le héros de ce récit, tombe amoureux de l'esprit d'une jeune fille morte, et grâce à la communication qui s'établit entre eux, découvre l'amour idéal qu'il cherchait en vain auprès des femmes terrestres. Cette sublimation du thème de l'amour nous fait quitter le réseau de thèmes qui nous préoccupe ici, pour rentrer dans un autre réseau, celui du *je*.

Résumons notre parcours. Le point de départ de ce second réseau reste le désir sexuel. La littérature fantastique s'attache à décrire particulièrement ses formes excessives ainsi que ses différentes transformations ou, si l'on veut, perversions. Une place à part doit être faite à la cruauté et la violence, même si leur relation avec le désir est de soi hors de doute. De même, les préoccupations concernant la mort, la vie après la mort, les cadavres et le vampirisme, sont liées au thème de l'amour. Le surnaturel ne se manifeste pas avec une égale intensité dans chacun de ces cas : il apparaît pour donner la mesure de désirs sexuels particulièrement puissants et pour nous introduire dans la vie d'après la mort. En revanche, la cruauté ou les perversions humaines ne quittent généralement pas les limites du possible et nous n'avons affaire qu'à, disons, du socialement étrange et improbable.

Nous avons vu qu'on pouvait interpréter les thèmes du *je* comme autant de mises en œuvre de la relation entre l'homme et le monde, du système perception-conscience. Ici, rien de semblable : si nous voulons interpréter les thèmes du *tu* au même niveau de généralité, nous devrons dire qu'il s'agit plutôt de la relation de l'homme avec son désir et, par là même, avec son inconscient. Le désir et ses diverses variations, y compris la cruauté, sont autant de figures où se trouvent prises les relations entre êtres humains ; dans le même temps, la possession de l'homme par ce qu'on peut appeler rapidement ses « instincts » pose le problème de la structure de la personnalité, de son organisation interne. Si les thèmes du *je* impliquaient essentiellement une position passive, on observe ici, en revanche, une forte *action* sur le monde environnant ; l'homme ne reste plus un observateur isolé, il entre dans une relation dynamique avec d'autres hommes. Enfin, si l'on pouvait assigner au premier réseau les « thèmes du regard », de par l'importance que la vue et la perception en général y prenaient, on devrait parler ici plutôt des « thèmes du *discours* » : le langage étant, en effet, la forme par excellence, et l'agent structurant, de la relation de l'homme avec autrui [1].

---

1. Ou comme l'écrit Henry James dans *The Question of our Speech* : « Toute vie revient finalement à la question de notre parole, le médium par lequel nous communiquons l'un avec l'autre ; car toute vie revient à la question de nos relations l'un avec l'autre. »

Les thèmes du fantastique : conclusion

Nous venons d'établir deux réseaux thématiques qui se distinguent par leur distribution ; lorsque les thèmes du premier réseau apparaissent en même temps que ceux du second, c'est précisément pour indiquer qu'il y a incompatibilité, comme dans *Louis Lambert* ou dans *le Club des hachichins*. Il nous reste à tirer les conclusions de cette distribution.

L'approche des thèmes que nous venons d'esquisser a un aspect assez limité. Qu'on compare nos observations sur *Aurélia*, par exemple, avec ce qu'une étude thématique en révèle, on s'apercevra qu'il existe entre les deux une différence de nature (indépendante du jugement de valeur qu'on peut porter, bien entendu). Généralement, lorsqu'on parle, dans une étude thématique, du double ou de la femme, du temps ou de l'espace, on essaie de reformuler en termes plus explicites le sens du texte. En repérant les thèmes, on les interprète ; en paraphrasant le texte, on nomme le sens.

Notre attitude a été toute différente. Nous n'avons pas essayé d'interpréter des thèmes, mais uniquement de constater leur présence. Nous n'avons pas cherché à donner une interprétation du désir, tel qu'il se manifeste dans *le Moine*, ou de la mort, dans *la Morte amoureuse,* comme l'aurait fait une critique des thèmes ; nous nous sommes contenté de signaler leur existence. Le résultat est une connaissance à la fois plus limitée et moins discutable.

Deux objets différents se trouvent ici impliqués par deux activités distinctes : la *structure* et le *sens,* la *poétique* et l'*interprétation.* Toute œuvre possède une structure, qui est la mise en relation d'éléments empruntés aux différentes catégories du discours littéraire ; et cette structure est en même temps le lieu du sens. En poétique, on se contente d'établir la présence de certains éléments dans l'œuvre ; mais on peut acquérir un degré élevé de certitude, cette connaissance se laissant vérifier par une série de procédures. Le critique, lui, se donne une tâche plus ambitieuse : nommer le sens de l'œuvre ; mais de cette activité, le résultat ne peut se prétendre ni scientifique ni « objectif ». Il y a, bien entendu, des interprétations plus justifiées que d'autres ; mais aucune d'entre elles ne peut se déclarer seule vraie. Poétique et critique ne sont donc rien d'autre que des instances d'une opposition plus générale, entre science et interprétation. Cette opposition, dont d'ailleurs les deux termes sont également dignes d'intérêt, n'est dans la pratique jamais pure ; l'accent mis sur l'un ou l'autre, permet de les maintenir distincts.

Ce n'est pas un hasard si, étudiant un genre, nous nous sommes placé dans la perspective de la poétique. Le genre représente précisément une structure, une configuration de propriétés littéraires, un inventaire de possibles. Mais l'appartenance d'une œuvre à un genre ne nous apprend rien encore sur son sens. Elle nous permet seulement de constater l'existence d'une certaine règle dont cette œuvre — et plusieurs autres — sont justiciables.

Ajoutons que les deux activités ont chacune un objet de prédilection : celui de la poétique est la littérature en général, avec toutes ses catégories, dont les différentes combinaisons forment les genres ; celui de l'interprétation, en revanche, est l'œuvre particulière ; ce qui intéresse le critique n'est pas ce que l'œuvre a en commun avec le reste de la littérature, mais ce qu'elle a de spécifique. Cette différence de visée provoque évidemment une différence de méthode : alors que pour le poéticien, il s'agit de la connaissance d'un objet qui lui est extérieur, le critique tend à s'identifier à l'œuvre, à s'en constituer le sujet. Reprenant notre discussion de la critique thématique, remarquons que celle-ci trouve, dans la perspective de l'interprétation, la justification qui lui manquait aux yeux de la poétique. Nous avons renoncé à décrire l'organisation des images, qui se fait à la surface même du texte ; mais elle n'en existe pas moins. Il est légitime d'observer, à l'intérieur d'un texte, la relation qui s'établit entre la couleur du visage d'un fantôme, la forme de la trappe par laquelle il disparaît, l'odeur singulière que laisse cette disparition. Une telle tâche, incompatible avec les principes de la poétique, trouve sa place dans le cadre de l'interprétation.

Nous n'aurions pas eu besoin d'évoquer cette opposition s'il n'était question ici, précisément, de thèmes. On accepte, en général, l'existence des deux points de vue, celui de la critique et celui de la poétique, lorsqu'il s'agit des aspects verbal ou syntaxique de l'œuvre : l'organisation phonique ou rythmique, le choix des figures rhétoriques ou des procédés de composition, sont depuis longtemps l'objet d'une étude plus ou moins rigoureuse. Mais à cette étude, l'aspect sémantique, ou les thèmes de la littérature, a jusqu'à présent échappé : de même qu'en linguistique on avait jusqu'à récemment tendance à exclure le sens, et partant la sémantique, des limites de la science pour ne s'attacher qu'à la phonologie et à la syntaxe, de même dans les études littéraires on accepte une approche théorique des éléments « formels » de l'œuvre, tels que le rythme et la composition, mais on la refuse dès qu'il est question des « contenus ». On a vu cependant jusqu'à quel point l'opposition entre forme et contenu était non pertinente ; nous pouvons distinguer en revanche entre une structure, constituée par tous les éléments littéraires, y compris les thèmes, d'une part, et, d'autre part, le sens qu'un critique donnera : non seulement aux thèmes, mais aussi à tous les aspects de l'œuvre ; on sait par exemple que les rythmes poétiques (iambe, trochée, etc.) ont possédé, à certaines époques, des interprétations affectives : gai, triste, etc. On a observé ici même qu'un procédé stylistique tel que la modalisation pouvait avoir un sens précis dans *Aurélia* : elle y signifie l'hésitation propre au fantastique.

Nous avons donc essayé de procéder à une étude des thèmes qui les place au même niveau de généralité que les rythmes poétiques ; nous avons établi deux réseaux thématiques sans prétendre donner en même temps une interprétation de ces thèmes, tels qu'ils apparaissent dans chaque œuvre particulière. Cela pour éviter tout malentendu.

Il est nécessaire de signaler une autre erreur possible. Il s'agit du mode de compréhension des images littéraires, telles qu'on les a relevées jusqu'à présent.

En établissant nos réseaux thématiques, nous y avons mis, côte à côte, des termes abstraits — la sexualité, la mort — et des termes concrets — le diable, le vampire —. Ce faisant, nous n'avons pas voulu établir entre les deux groupes une relation de signification (le diable voudrait dire le sexe ; le vampire, la nécrophilie) mais une compatibilité, une co-présence. Le sens d'une image est toujours plus riche et plus complexe qu'une telle traduction ne le laisserait supposer, et cela pour plusieurs raisons.

D'abord, il y a lieu de parler d'une polysémie de l'image. Prenons par exemple le thème (ou l'image) du double. Il en est question dans maint texte fantastique ; mais dans chaque œuvre particulière le double a un sens différent, qui dépend des relations qu'entretient ce thème-ci avec d'autres. Ces significations peuvent même être opposées ; ainsi chez Hoffmann et Maupassant. L'apparition du double est une cause de joie chez le premier ; c'est la victoire de l'esprit sur la matière. Chez Maupassant, au contraire, le double incarne la menace : c'est l'avant-signe du danger et de la peur. Sens opposés encore, dans *Aurélia* et dans le *Manuscrit trouvé à Saragosse*. Chez Nerval, l'apparition du double signifie, entre autres, un début d'isolement, une coupure d'avec le monde ; chez Potocki, au contraire, le dédoublement, si fréquent tout au long du livre, devient le moyen d'un contact plus étroit avec les autres, d'une intégration plus totale. Aussi ne sera-t-on pas surpris de trouver l'image du double dans l'un et l'autre des deux réseaux thématiques que nous avons établis : une telle image peut appartenir à différentes structures, elle peut avoir aussi plusieurs sens.

D'autre part, l'idée même de chercher une traduction directe doit être rejetée, parce que chaque image en signifie toujours d'autres, dans un jeu infini de relations ; ensuite, parce qu'elle se signifie elle-même : elle n'est pas transparente mais possède une certaine épaisseur. Sinon, il faudrait tenir toutes les images pour des allégories ; et nous avons vu que l'allégorie implique une indication explicite d'un sens autre, ce qui en fait un cas très particulier. Ainsi, on ne suivra pas Penzoldt lorsqu'il écrit, à propos du génie qui sort de la bouteille (*les Mille et une nuits*) : « Le Génie est évidemment la personnification du désir, alors que le bouchon de la bouteille, petit et faible comme il est, représente les scrupules moraux de l'homme » (p. 106). Nous refusons cette manière de réduire les images à des signifiants dont les signifiés seraient des concepts. Cela impliquerait d'ailleurs l'existence d'une limite tranchée entre les uns et les autres, ce qui est, on le verra plus loin, impensable.

Après avoir tenté d'expliciter la démarche, on doit essayer de rendre intelligibles ses résultats. Pour ce faire, on cherchera à comprendre en quoi consiste l'opposition des deux réseaux thématiques, et quelles catégories elle met en jeu. Reprenons d'abord les rapprochements déjà esquissés entre ces réseaux thématiques et d'autres organisations, plus ou moins connues : cette comparaison nous permettra peut-être de pénétrer plus profondément la nature de l'opposition, d'en donner une formulation plus précise. Il y aura cependant du même coup recul quant à la certitude avec laquelle nous pourrons affirmer notre thèse. Ceci n'est pas une clause de style : tout ce qui suit garde, à nos yeux, un caractère purement hypothétique, et doit être pris pour tel.

Commençons par l'analogie observée entre le premier réseau, celui des thèmes du *je,* et l'univers de l'enfance, tel qu'il apparaît à l'adulte (selon la description de Piaget) : on peut se demander quelle est la raison de cette ressemblance. On trouvera la réponse dans ces mêmes études de psychologie génétique auxquelles on s'est référé : l'événement essentiel qui provoque le passage de la première organisation mentale à la maturité (à travers une série de stades intermédiaires) est la venue du sujet au langage. C'est elle qui fait disparaître ces traits particuliers à la première période de la vie mentale : l'absence de distinction entre esprit et matière, entre sujet et objet ; les conceptions pré-intellectuelles de la causalité, de l'espace et du temps. Un mérite de Piaget est d'avoir montré que cette transformation s'opère précisément grâce au langage, même quand cela n'apparaît pas d'emblée. Ainsi par exemple du temps : « L'enfant devient, grâce au langage, capable de reconstituer ses actions passées sous forme de récit et d'anticiper les actions futures par la représentation verbale » (*Six études,* p. 25) ; on se souvient que le temps n'était pas, pendant la première enfance, la ligne qui réunit ces trois points, mais plutôt un présent éternel (évidemment très différent du présent que nous connaissons et qui est une catégorie verbale), élastique ou infini.

On est ainsi ramené au second rapprochement que nous avions opéré : celui de ce même réseau thématique avec le monde de la drogue ; nous y avions trouvé une même conception inarticulée et ductile du temps. De plus, il s'agit à nouveau d'un monde sans langage : la drogue se refuse à la verbalisation. De même encore, *l'autre* n'a pas ici d'existence autonome, le *je* s'identifie à lui, sans le concevoir comme indépendant.

Un autre point commun à ces deux univers, celui de l'enfance et celui de la drogue, a trait à la sexualité. On se souvient que l'opposition qui nous a permis d'établir l'existence de deux réseaux concernait précisément la sexualité (dans *Louis Lambert*). Celle-ci (plus exactement : sa forme courante et élémentaire) se trouve exclue aussi bien du monde de la drogue que de celui des mystiques. Le problème semble plus complexe quand il s'agit de l'enfance. Le nourrisson ne vit pas dans un monde sans désir ; mais ce désir est d'abord « auto-érotique » ; la découverte qui a lieu ensuite est celle du désir orienté vers un objet. L'état de dépassement des passions, que l'on atteint à travers la drogue (dépassement visé aussi par les mystiques) et qu'on pourrait qualifier de pan-érotique, est, lui, une transformation de la sexualité qui s'apparente à la « sublimation ». Dans le premier cas, le désir n'a pas d'objet extérieur ; dans le second, son objet est le monde entier ; entre les deux se situe le désir « normal ».

Venons-en au troisième rapprochement indiqué au cours de l'étude des thèmes du *je* : celui qui a trait aux psychoses. Ici encore, le terrain est incertain ; nous sommes amenés à nous appuyer sur des descriptions (du monde psychotique) faites à partir de l'univers de l'homme « normal ». Le comportement du psychotique s'y trouve évoqué non comme un système cohérent, mais comme la négation d'un autre système, comme une déviation. En parlant du « monde du schizophrène », ou du « monde de l'enfant », nous ne manions que des simulacres de ces états, tels qu'ils sont élaborés par l'adulte non schizophrène. Le schizophrène, nous dit-on, refuse la communication et l'inter-subjectivité. Et ce renoncement au langage l'amène à vivre dans un présent éternel. A la place du langage commun, il instaure un « langage privé » (ce qui, bien sûr, est une contradiction dans les termes et donc aussi un anti-langage). Des mots empruntés au lexique commun reçoivent un sens nouveau que le schizophrène maintient individuel : il ne s'agit pas simplement de faire varier le sens des mots, mais d'empêcher que ceux-ci n'assurent une transmission automatique de ce sens. « Le schizophrène, écrit Kasanin, n'a aucune intention de changer sa méthode de communication, hautement individuelle, et paraît se réjouir du fait que vous ne le comprenez pas » (p. 129). Le langage devient alors un moyen de se couper du monde, à l'encontre de sa fonction de médiateur.

Les mondes de l'enfance, de la drogue, de la schizophrénie, du mysticisme forment bien à eux tous un paradigme auquel appartiennent également les thèmes du *je* (ce qui ne veut pas dire qu'il n'existe pas entre eux des différences importantes). Les relations entre ces termes, pris deux à deux, ont d'ailleurs souvent été remarquées. Balzac écrivait dans *Louis Lambert* : « Il est certains livres de Jacob Boehm, de Swedenborg ou de Mme Guyon dont la lecture pénétrante fait surgir des fantaisies aussi multiformes que peuvent l'être les rêves produits par l'opium » (p. 381). On a, d'autre part, souvent rapproché le monde du schizophrène et celui du très jeune enfant. Enfin, ce n'est pas un hasard si le mystique Swedenborg était schizophrène ; ni si l'emploi de certaines drogues puissantes peut conduire à des états psychotiques.

Il serait tentant, arrivé là, de rapprocher notre second réseau, les thèmes du *tu*, de l'autre grande catégorie des maladies mentales : les névroses. Rapprochement superficiel, qui pourrait se fonder sur le fait que le rôle décisif accordé à la sexualité et à ses variations dans le second réseau semble bien se retrouver dans les névroses : les perversions, on l'a assez dit depuis Freud, sont l'exact « négatif » des névroses. Nous restons conscient des simplifications subies, ici comme précédemment, par les concepts empruntés. Si nous nous permettons d'établir des passages commodes entre psychose et schizophrénie, entre névroses et perversions, c'est que nous croyons nous situer à un

niveau de généralité suffisamment élevé ; nos affirmations
se savent approximatives.

Le rapprochement devient beaucoup plus significatif dès
que, pour fonder cette typologie, on fait appel à la théorie psychanalytique. Freud a abordé le problème peu après sa seconde
formulation de la structure de la psyché ; voici comment : « La
névrose est le résultat [*Erfolg*] d'un conflit entre le moi et son
ça, alors que la psychose est le résultat analogue d'une pertur-
bation semblable de la relation entre le moi et le monde extérieur » (G.W., XIII, p. 391).

Et, pour illustrer cette opposition, Freud cite un exemple.
« Une jeune femme qui était amoureuse de son beau-frère
et dont la sœur était mourante était horrifiée de penser « Maintenant il est libre et nous pouvons nous marier ! » L'oubli ins-
tantané de cette pensée permit la mise en mouvement du processus de refoulement qui conduisit à des souffrances hystériques.
Cependant, il est intéressant de voir précisément dans un cas
pareil la manière dont la névrose tend à résoudre le conflit. Elle
rend compte du changement de la réalité en refoulant la satisfaction de la pulsion, en l'occurrence l'amour pour le beau-
frère. Une réaction psychotique aurait nié le fait que la sœur est
mourante » (G.W., XIII, p. 410).

Nous sommes là très près de notre propre division. On a
vu que les thèmes du *je* se fondaient sur une rupture de la
limite entre psychique et physique : penser que quelqu'un n'est
pas mort, le vouloir d'une part, et percevoir ce même fait
dans la réalité de l'autre, sont deux phases d'un même mouvement, et le passage s'établit entre elles sans aucune difficulté.
Dans l'autre registre, les conséquences hystériques de la répres-
sion de l'amour pour le beau-frère ressemblent à ces actes
« excessifs » liés au désir sexuel, que nous avons rencontrés
quand nous faisions l'inventaire des thèmes du *tu*.

Davantage : on a déjà parlé, à propos des thèmes du *je*,
du rôle essentiel de la perception, de la relation avec le monde
extérieur ; et voici que nous la retrouvons à la base des psy-

choses. On a vu également qu'on ne pouvait pas concevoir les thèmes du *tu* sans faire entrer en ligne de compte l'inconscient et les pulsions dont le refoulement crée la névrose. Nous sommes donc en droit de dire que, sur le plan de la théorie psychanalytique, le réseau des thèmes du *je* correspond au système perception-conscience ; celui des thèmes du *tu,* à celui des pulsions inconscientes. Il faut noter ici que la relation avec autrui, au niveau où elle concerne la littérature fantastique, se retrouve de ce dernier côté. En notant cette analogie, nous ne voulons pas dire que névroses et psychoses se retrouvent dans la littérature fantastique, ou inversement, que tous les thèmes de la littérature fantastique sont repérables dans les manuels de psychopathologie.

Mais voici un nouveau danger. Toutes ces références pourraient faire croire que nous sommes décidément proches de la critique dite psychanalytique. Pour mieux situer, et différencier, la position qui est la nôtre, nous nous arrêterons donc un instant sur cette approche critique. Deux exemples paraissent ici particulièrement appropriés : les pages que Freud lui-même a consacrées à l'étrange, et le livre de Penzoldt sur le surnaturel.

Dans l'étude que Freud a consacrée à l'étrange, nous ne pouvons que constater le caractère double de l'investigation psychanalytique. On dirait que la psychanalyse est tout à la fois une science des structures et une technique d'interprétation. Dans le premier cas, elle décrit un mécanisme, celui, peut-on dire, de l'activité psychique ; dans le second, elle révèle le sens ultime des configurations ainsi décrites. Elle répond à la fois à la question « comment » et à la question « quoi ».

Voici une illustration de cette seconde attitude, où l'activité de l'analyste peut être définie comme un déchiffrement. « Quand quelqu'un rêve d'une localité ou d'un paysage et pense en rêve : Je connais cela, j'ai déjà été ici — l'interprétation est autorisée à remplacer ce lieu par les organes génitaux ou le corps maternels » (E.P.A., p. 200). L'image onirique décrite ici est prise isolément, indépendamment du mécanisme dont elle fait partie ;

en revanche, on nous en délivre le sens ; celui-ci est qualitativement différent des images elles-mêmes ; le nombre de ces sens ultimes est restreint et immuable. Ou encore : « Bien des gens décerneraient la couronne de l'inquiétante étrangeté [*Unheimliche*] à l'idée d'être enterrés vivants en état de léthargie. La psychanalyse nous l'a pourtant appris : cet effrayant fantasme n'est que la transformation d'un autre qui n'avait à l'origine rien d'effrayant mais était au contraire accompagné d'une certaine volupté, à savoir le fantasme de la vie dans le corps maternel » (E.P.A., p. 198-199). Nous sommes ici à nouveau en face d'une traduction : telle image fantasmatique a tel contenu.

Il existe toutefois une autre attitude où le psychanalyste tend non plus à livrer le sens ultime d'une image mais à lier entre elles deux images. Analysant *l'Homme au sable*, d'Hoffmann, Freud écrit : « Cette poupée automate [Olimpia] ne peut être autre chose que la matérialisation de l'attitude féminine de Nathanael envers son père dans sa première enfance » (E.P.A., p. 183). L'équation qu'établit Freud ne relie plus seulement une image et un sens (bien qu'elle le fasse encore), mais deux éléments textuels : la poupée Olimpia et l'enfance de Nathanael, toutes deux présentes dans la nouvelle d'Hoffmann. Par là même, la remarque de Freud nous éclaire moins sur l'interprétation à donner de la langue des images, que sur le mécanisme de cette langue, son fonctionnement interne. Dans le premier cas, on pouvait comparer l'activité du psychanalyste à celle d'un traducteur ; dans le second, elle s'apparente à celle du linguiste. De nombreux exemples de ces deux types pourraient être trouvés dans *l'Interprétation des rêves*.

De ces deux directions possibles de la recherche, nous n'en retiendrons qu'une. L'attitude du *traducteur* est, nous l'avons assez dit, incompatible avec notre position à l'égard de la littérature. Nous ne croyons pas que celle-ci veuille dire autre chose qu'elle-même et donc qu'une traduction soit nécessaire. Ce que nous nous efforçons de faire, en revanche, c'est de décrire le *fonctionnement* du mécanisme littéraire (encore qu'il n'y ait pas de limite infranchissable entre traduction et description...). C'est en ce sens que l'expérience de la psychanalyse peut nous être utile (la psychanalyse n'est ici qu'une branche de la sémiotique). Notre référence à la structure de la psyché relève de ce type d'emprunt ; et la démarche théorique d'un René Girard peut être considérée ici comme exemplaire.

Lorsque les psychanalystes se sont intéressés aux œuvres littéraires, ils ne se sont pas contentés de les décrire, à quelque niveau que ce soit. A commencer par Freud, ils ont toujours eu tendance à considérer la littérature comme une voie parmi d'autres pour pénétrer la psyché de l'auteur. La littérature se trouve alors réduite au rang de simple symptôme, et l'auteur constitue le véritable objet à étudier. Ainsi, après avoir décrit l'organisation de *l'Homme au sable,* Freud indique-t-il, sans transition, ce qui peut en rendre compte chez l'auteur : « E. T. A. Hoffmann était l'enfant d'un mariage malheureux. Lorsqu'il avait trois ans, son père se sépara de sa petite famille et ne revint plus jamais auprès d'elle », (p. 184), etc. Cette attitude, souvent critiquée depuis, n'est plus de mode aujourd'hui ; il est toutefois nécessaire de préciser les raisons du refus que nous lui opposons.

Il ne suffit pas de dire, en effet, que nous nous intéressons à la littérature et à elle seule, et que, partant, nous refusons tout renseignement sur la vie de l'auteur. La littérature est toujours plus que la littérature, et il est certainement des cas où la biographie de l'écrivain se trouve en relation pertinente avec son œuvre. Seulement, pour être utilisable, il faudrait que cette relation soit donnée comme un des traits de l'œuvre elle-même. Hoffmann, qui a été un enfant malheureux, décrit les peurs de l'enfance ; mais pour que cette constatation ait une valeur explicative, il faudrait prouver soit que tous les écrivains malheureux dans leur enfance font de même, soit que toutes les descriptions des peurs enfantines viennent d'écrivains dont l'enfance a été malheureuse. A défaut d'établir l'existence de l'une ou l'autre relation, constater qu'Hoffmann était malheureux quand il était enfant, n'est rien de plus qu'indiquer une coïncidence, sans valeur explicative.

De tout cela, il faut conclure que les études littéraires tireront plus de profit des écrits psychanalytiques lorsqu'ils portent sur les structures du sujet humain en général, que lorsqu'ils traitent de la littérature. Comme il advient souvent, l'application trop directe d'une méthode dans un domaine autre que le sien ne fait que réitérer les présupposés initiaux.

En rappelant les typologies thématiques proposées dans divers essais sur la littérature fantastique, nous avons laissé de côté celle de P. Penzoldt, comme qualitativement différente des autres. En effet, alors que la plupart des auteurs classaient les thèmes en rubriques telles que : vampire, diable, sorcières, etc., Penzoldt suggère, lui, de les grouper en fonction de leur origine psychologique. Cette origine aurait un double lieu : l'inconscient collectif et l'inconscient individuel. Dans le premier cas, les éléments thématiques se perdent dans la nuit des temps ; ils appartiennent à toute l'humanité, le poète y est seulement plus que d'autres sensible et c'est en quoi il réussit à les extérioriser. Dans le deuxième cas, il s'agit d'expériences personnelles et traumatisantes : tel écrivain névrosé projettera ses symptômes dans son œuvre. Il en va ainsi en particulier dans un des sous-genres distingués par Penzoldt et qu'il appelle le « pur conte d'horreur ». Pour les auteurs qu'il y rattache, « la nouvelle fantastique n'est rien d'autre qu'une percée de tendances névrotiques déplaisantes » (p. 146). Mais ces tendances ne se manifestent pas toujours nettement hors de l'œuvre. Ainsi d'Arthur Machen dont les écrits névrotiques pourraient s'expliquer par l'éducation puritaine qu'il avait reçue : « Heureusement, dans sa vie Machen n'était pas un puritain. Robert Hillyer, qui le connaissait bien, nous raconte qu'il aimait le bon vin, la bonne compagnie, les bonnes plaisanteries, et qu'il vivait une vie conjugale parfaitement normale »

(p. 156) ; « on nous le décrit comme un ami et père exquis » (p. 164), etc.

Nous avons déjà dit pourquoi il est impossible d'admettre une typologie fondée sur la biographie des auteurs. Penzoldt nous fournit d'ailleurs ici un contre-exemple. A peine nous a-t-il dit que l'éducation de Machen explique son œuvre, qu'il se voit obligé d'ajouter : « Heureusement, l'homme Machen était assez différent de l'écrivain Machen. (...) Ainsi Machen vivait une vie d'homme normal alors qu'une partie de son œuvre devint l'expression d'une névrose terrible » (p. 164).

Notre refus a encore un autre motif. Pour qu'une distinction soit valable en littérature, il faut qu'elle soit fondée sur des critères littéraires, et non sur l'existence d'écoles psychologiques à chacune desquelles on voudrait réserver un champ (il s'agit chez Penzoldt d'un effort pour réconcilier Freud et Jung). La distinction entre inconscient collectif et individuel, qu'elle soit ou non valable en psychologie, n'a *a priori* aucune pertinence littéraire : les éléments de l' « inconscient collectif » se mêlent librement à ceux de l' « inconscient individuel », à suivre les analyses de Penzoldt lui-même.

Nous pouvons revenir maintenant à l'opposition de nos deux réseaux thématiques.

On n'a épuisé, bien entendu, aucun des deux paradigmes dont la distribution des thèmes fantastiques nous a ouvert la voie. Il est possible, par exemple, de trouver une analogie entre certaines structures sociales (ou même certains régimes politiques) et les deux réseaux de thèmes. Ou encore : l'opposition que fait Mauss entre religion et magie est très proche de celle que nous avons établie entre thèmes du *je* et thèmes du *tu*. « Tandis que la religion tend vers la métaphysique et s'absorbe dans la création d'images idéales, la magie sort, par mille fissures, de la vie mystique où elle puise ses forces pour se mêler à la vie laïque et y servir. Elle tend au concret comme la religion tend à l'abstrait » (p. 134). Une preuve parmi d'autres :

le recueillement mystique est a-verbal, tandis que la magie ne
peut se passer du langage. « Il est douteux qu'il y ait eu de véritables rites muets, tandis qu'il est certain qu'un très grand nombre de rites ont été exclusivement oraux » (p. 47).

On comprend mieux maintenant cet autre couple de termes
que nous avions introduits, en parlant de thèmes du *regard* et
de thèmes du *discours* (encore doit-on manier ces mots avec
prudence). Encore une fois d'ailleurs, la littérature fantastique
a fait sa propre théorie : chez Hoffmann, par exemple, on trouve
une nette conscience de l'opposition. Il écrit : « Que sont les
mots ? Rien que des mots ! Son regard céleste en dit plus que
tous les langages » (t. I, p. 352) ; ou ailleurs : « Vous avez vu le
beau spectacle qu'on pourrait appeler le premier spectacle du
monde, puisqu'il exprime tant de sentiments profonds sans le
secours de la parole » (III, p. 39). Hoffmann, auteur dont les
contes exploitent les thèmes du *je*, ne cache pas sa préférence
pour le regard, face au discours. Il faut ajouter ici qu'en un
autre sens, les deux réseaux thématiques peuvent être considérés
comme également liés au langage. Les « thèmes du regard »
se fondent sur une rupture de la frontière entre psychique et
physique ; mais on pourrait reformuler cette observation du
point de vue du langage. Les thèmes du *je* ici recouvrent, on
l'a vu, la possibilité de briser la limite entre sens propre et sens
figuré ; les thèmes du *tu* se forment à partir de la relation qui
s'établit entre deux interlocuteurs, dans le discours.

La série pourrait se continuer indéfiniment, sans qu'il soit
jamais légitime de dire d'un des couples de termes opposés qu'il
est plus « authentique » ou plus « essentiel » qu'un autre. La
psychose et la névrose ne sont pas l'explication des thèmes de la
littérature fantastique, pas plus que ne l'est l'opposition entre
enfance et âge adulte. Il n'existe pas deux types d'unités de
nature différente, les unes signifiantes, les autres signifiées, les
secondes formant le résidu stable des premières. Nous avons
établi une chaîne de correspondances et de relations, qui pourrait présenter les thèmes fantastiques aussi bien comme un

point de départ (« à expliquer ») que comme un point d'arrivée (« explication ») ; et il en va de même pour toutes les autres oppositions.

Resterait à préciser la place de la typologie des thèmes fantastiques, que nous venons d'esquisser, par rapport à une typologie générale des thèmes littéraires. Sans entrer dans le détail (on devrait montrer que cette question n'est justifiée que si l'on donne une acception bien définie à chacun des termes qui la composent), nous pouvons reprendre ici l'hypothèse posée au début de cette discussion. Disons que notre division thématique coupe en deux toute la littérature ; mais qu'elle se manifeste d'une manière particulièrement claire dans la littérature fantastique, où elle atteint son degré superlatif. La littérature fantastique est comme un terrain étroit mais privilégié à partir duquel on peut tirer des hypothèses concernant la littérature en général. Ceci restant à vérifier, bien entendu.

Il est à peine besoin d'expliquer encore les noms que nous avons donnés à ces deux réseaux thématiques. Le *je* signifie le relatif isolement de l'homme dans son rapport avec le monde qu'il construit, l'accent placé sur cet affrontement sans qu'un intermédiaire ait à être nommé. Le *tu*, en revanche, renvoie précisément à cet intermédiaire, et c'est la relation tierce qui se trouve à la base du réseau. Cette opposition est asymétrique : le *je* est présent dans le *tu*, mais non l'inverse. Comme l'écrit Martin Buber : « Il n'y a pas de *Je* en soi, il n'y a que le *Je* du mot-principe *Je-Tu* et le *Je* du mot-principe *Je-Cela*. Quand l'homme dit *Je*, il veut dire l'un ou l'autre, *Tu* ou *Cela* » (p. 7-8).

Il y a plus. Le *je* et le *tu* désignent les deux participants de l'acte de discours : celui qui énonce, celui à qui on s'adresse. Si nous mettons l'accent sur ces deux interlocuteurs c'est que nous croyons à l'importance primordiale de la situation de discours, aussi bien pour la littérature qu'en dehors d'elle. Une théorie des pronoms personnels, étudiés dans la perspective du procès de l'énonciation, pourrait expliquer mainte propriété importante de toute structure verbale. C'est un travail qui reste à faire.

Nous avons formulé, au début de cette étude de thèmes, deux exigences principales pour les catégories à découvrir : celles-ci devaient être à la fois abstraites et littéraires. Les catégories du *je* et du *tu* ont bien ce double caractère : elles possèdent un degré élevé d'abstraction, et restent intérieures au langage. Il est vrai que les catégories du langage ne sont pas forcément des catégories littéraires ; mais ici nous touchons à ce paradoxe que doit affronter toute réflexion sur la littérature : une formule verbale concernant la littérature en trahit toujours la nature, du fait que la littérature est elle-même paradoxale, constituée de mots mais signifiant plus que les mots, verbale et transverbale à la fois.

Littérature et fantastique

Notre parcours du genre fantastique est terminé. Nous avons
d'abord donné une définition du genre : le fantastique est fondé
essentiellement sur une hésitation du lecteur — un lecteur qui
s'identifie au personnage principal — quant à la nature d'un
événement étrange. Cette hésitation peut se résoudre soit pour
ce qu'on admet que l'événement appartient à la réalité ; soit
pour ce qu'on décide qu'il est le fruit de l'imagination ou le
résultat d'une illusion ; autrement dit, on peut décider que l'événement est ou n'est pas. D'autre part, le fantastique exige un
certain type de lecture : sans quoi, on risque de glisser ou dans
l'allégorie ou dans la poésie. Enfin, nous avons passé en revue
d'autres propriétés de l'œuvre fantastique qui, sans être obligatoires, apparaissent avec une fréquence suffisamment significative. Ces propriétés se sont laissé répartir suivant les trois
aspects de l'œuvre littéraire : verbal, syntaxique, et sémantique (ou thématique). Sans étudier en détail une œuvre particulière, nous avons plutôt tenté·d'élaborer un cadre général où
pourraient précisément s'inscrire de telles études concrètes ;

le terme d' « introduction » qui apparaît dans le titre de cet essai n'est pas une clause de modestie.

Notre recherche s'est placée, jusqu'à présent, à l'intérieur du genre. Nous avons voulu en donner une étude « immanente », distinguer les catégories de sa description, uniquement en nous fondant sur des nécessités internes. Il faut maintenant, en guise de conclusion, changer de perspective. Une fois le genre constitué, nous pouvons le considérer de l'extérieur, du point de vue de la littérature en général ou même de la vie sociale ; et reposer notre question initiale, mais en lui donnant une autre forme : non plus « qu'est-ce que le fantastique ? » mais « pourquoi le fantastique ? ». La première question avait trait à la *structure* du genre ; celle-ci en vise les *fonctions*.

Cette question de la fonction se subdivise d'ailleurs aussitôt et débouche sur plusieurs problèmes particuliers. Elle peut porter sur le *fantastique,* c'est-à-dire : sur une certaine réaction devant le surnaturel ; mais aussi, sur le surnaturel lui-même. Dans ce dernier cas, on devra encore distinguer entre une *fonction littéraire* et une *fonction sociale* du surnaturel. Commençons par cette dernière.

On trouve dans une remarque de Peter Penzoldt l'esquisse d'une réponse. « Pour beaucoup d'auteurs, le surnaturel n'était qu'un prétexte pour décrire des choses qu'ils n'auraient jamais osé mentionner en termes réalistes » (p. 146). On peut douter que les événements surnaturels ne soient que des prétextes ; mais il y a certainement une part de vérité dans cette affirmation : le fantastique permet de franchir certaines limites inaccessibles tant qu'on n'a pas recours à lui. A reprendre les éléments surnaturels, tels qu'on les a précédemment énumérés, on verra le bien-fondé de cette remarque. Soient par exemple les thèmes du *tu* : l'inceste, l'homosexualité, l'amour à plusieurs, la nécrophilie, une sensualité excessive... On a l'impression de lire une liste de thèmes interdits, établie par quelque censure : chacun de ces thèmes a été, de fait, souvent interdit, et peut l'être encore de nos jours. La couleur fantastique n'a d'ailleurs pas toujours sauvé les œuvres de la sévérité des censeurs ; *le Moine*, par exemple, fut interdit lors de sa réédition.

A côté de la censure institutionnalisée, il en est une autre, plus subtile et plus générale : celle qui règne dans la psyché même des auteurs. La pénalisation de certains actes par la société provoque une pénalisation qui s'exerce chez l'individu même, lui faisant défense d'aborder certains thèmes tabous. Plus qu'un simple prétexte, le fantastique est un moyen de combat contre l'une et l'autre censure : les déchaînements sexuels seront mieux acceptés par toute espèce de censure si on les a inscrits au compte du diable.

Si le réseau des thèmes du *tu* relève directement des tabous et donc de la censure, il en va de même pour celui des thèmes du *je* bien que d'une manière moins directe. Ce n'est pas par hasard que cet autre groupe renvoie à la folie. La pensée du psychotique est condamnée par la société non moins sévèrement que le criminel qui transgresse les tabous : le fou est, de même que ce dernier, enfermé ; sa prison s'appelle maison de santé. Ce n'est pas un hasard non plus si la société réprime l'emploi des drogues et enferme, une fois de plus, ceux qui en usent : les drogues suscitent un mode du penser jugé coupable.

On peut donc schématiser la condamnation qui frappe les deux réseaux de thèmes et dire que l'introduction d'éléments surnaturels est un recours pour éviter cette condamnation. On comprend mieux maintenant pourquoi notre typologie des thèmes coïncidait avec celle des maladies mentales : la fonction du surnaturel est de soustraire le texte à l'action de la loi et par là même de la transgresser.

Il y a une différence qualitative entre les possibilités personnelles qu'avait un auteur du XIXe siècle, et celles d'un auteur contemporain. On se souvient de la voie détournée que devait emprunter Gautier pour nous décrire la nécrophilie de son personnage, tout le jeu ambigu du vampirisme. Relisons, pour

marquer la distance, une page prise dans *le Bleu du ciel* de
Georges Bataille, qui traite de la même perversion. Lorsqu'on
lui demande de s'expliquer, le narrateur répond : « La seule
chose qui me soit arrivée : une nuit que j'ai passée dans un
appartement où une femme âgée venait de mourir : elle était
dans son lit, comme n'importe quelle autre, entre les deux cier-
ges, les bras disposés le long du corps, mais pas les mains
jointes. Il n'y avait personne dans la chambre pendant la nuit.
A ce moment, je me suis rendu compte. — Comment ? — Je
me suis réveillé vers trois heures du matin. J'ai eu l'idée d'aller
dans la chambre où était le cadavre. J'ai été terrifié, mais
j'avais beau trembler, je restai devant ce cadavre. A la fin,
j'ai enlevé mon pyjama. — Jusqu'où êtes-vous allé ? — Je n'ai
pas bougé, j'étais troublé à en perdre la tête ; c'est arrivé de
loin, simplement, en regardant. — C'était une femme encore
belle ? — Non, tout à fait flétrie » (p. 49-50).

Pourquoi Bataille peut-il se permettre de décrire directement
un désir que Gautier n'ose évoquer qu'indirectement ? On
peut proposer la réponse suivante : dans l'intervalle qui sépare la
publication des deux livres s'est produit un événement dont la
conséquence la mieux connue est l'apparition de la psychanalyse. On commence à oublier aujourd'hui la résistance à laquelle
s'est heurtée la psychanalyse à ses débuts, non seulement de la
part de savants qui n'y croyaient pas, mais aussi et surtout de
la société. Il s'est produit dans la psyché humaine un changement, dont la psychanalyse est le signe ; ce même changement
a provoqué la levée de cette censure sociale qui interdisait
d'aborder certains thèmes et qui n'aurait certainement pas autorisé la publication du *Bleu du ciel* au XIXe siècle (mais, bien
sûr, ce livre n'aurait pu non plus y être écrit. Il est vrai que
Sade a vécu au XVIIIe siècle ; mais, d'une part, ce qui est possible
au XVIIIe siècle ne l'est pas forcément au XIXe ; d'autre part, la
sécheresse et la simplicité dans la description de Bataille impli-
quent une attitude du narrateur qui était inconcevable auparavant). Ce qui ne veut pas dire que l'avènement de la psy-

chanalyse a détruit les tabous : ils se sont simplement déplacés.

Allons plus loin : la psychanalyse a remplacé (et par là même a rendu inutile) la littérature fantastique. On n'a pas besoin aujourd'hui d'avoir recours au diable pour parler d'un désir sexuel excessif, ni aux vampires pour désigner l'attirance exercée par les cadavres : la psychanalyse, et la littérature qui, directement ou indirectement, s'en inspire, en traitent en termes non déguisés. Les thèmes de la littérature fantastique sont devenus, littéralement, ceux-là mêmes des recherches psychologiques des cinquante dernières années. Nous en avons vu plusieurs illustrations ; il suffira de mentionner ici que le double, par exemple, a été du temps de Freud déjà, le thème d'une étude classique (*Der Doppelgänger*, d'Otto Rank ; traduit en français sous le titre : *Don Juan. Une étude sur le double*) ; le thème du diable a fait l'objet de recherches nombreuses (*Der eigene und der fremde Gott*, de Th. Reik ; *Der Alptraum in seiner Beziehung zu gewissen Formen des mittelalterlichen Aberglaubens*, d'Ernest Jones), etc. Freud lui-même a étudié un cas de névrose démoniaque au XVIIIe siècle et il déclare, à la suite de Charcot : « Ne nous étonnons pas si les névroses de ces temps lointains se présentent sous un vêtement démonologique » (E.P.A., p. 213).

Voici un autre exemple, mais moins évident, du rapprochement entre les thèmes de la littérature fantastique et ceux de la psychanalyse. Nous avons observé, dans le réseau du *je*, ce que nous avons nommé l'action du pan-déterminisme. C'est une causalité généralisée qui n'admet pas l'existence du hasard et pose qu'il y a toujours entre tous les faits des relations directes, même si celles-ci généralement nous échappent. Or, la psychanalyse reconnaît précisément ce même déterminisme sans failles dans le champ, à tout le moins, de l'activité psychique de l'homme. « Dans la vie psychique, il n'y a rien d'arbitraire, d'indéterminé », écrit Freud dans la *Psychopathologie de la vie quotidienne* (p. 260). De là que le domaine des superstitions, qui ne sont rien d'autre qu'une croyance au pan-déterminisme, fait partie des préoccupations du psychanalyste. Freud indique dans son commentaire le déplacement que la psychanalyse peut introduire dans ce domaine. « Ce Romain qui renonçait à un important projet parce qu'il venait de constater un vol d'oiseau défavorable, avait donc relativement raison ; il agissait conformément à ses prémisses. Mais lorsqu'il renonçait à son projet parce qu'il avait fait un faux pas sur le seuil de sa porte, il se montrait supérieur à nous autres incrédules, il se révélait meilleur psychologue que nous ne le sommes. C'est que ce faux pas était pour lui la preuve de l'existence d'un doute, d'une opposition intérieure à ce projet, doute et opposition dont la force pouvait annihiler celle de son intention au moment de l'exécution du projet » (p. 277). Le psychanalyste a là une attitude analogue à celle du narrateur d'un conte fantastique affirmant qu'il existe une relation causale entre des faits en apparence indépendants.

Plus d'une raison donc justifie la remarque ironique de Freud : « Le Moyen Age, avec beaucoup de logique, et presque correctement du point de vue psychologique, avait attribué à l'influence de démons toutes ces manifestations morbides. Je ne serais pas non plus étonné d'apprendre que la psychanalyse, qui s'occupe de découvrir ces forces secrètes, ne soit devenue elle-même, de par cela, étrangement inquiétante aux yeux de bien des gens » (E.P.A., p. 198).

Après cet examen de la fonction sociale du surnaturel, revenons à la littérature et observons cette fois les fonctions du surnaturel à l'intérieur même de l'œuvre. Nous avons répondu une fois déjà à cette question : mis à part les allégories, où l'élément surnaturel vise à mieux illustrer une idée, nous avons distingué trois fonctions. Une fonction pragmatique : le surnaturel émeut, effraye, ou simplement tient en suspens le lecteur. Une fonction sémantique : le surnaturel constitue sa propre manifestation, c'est une auto-désignation. Enfin, une fonction syntaxique : il entre, nous l'avons dit, dans le développement du récit. Cette troisième fonction est liée, plus directement que les deux autres, à la totalité de l'œuvre littéraire ; il est temps maintenant de l'expliciter.

Il existe une coïncidence curieuse entre les auteurs qui cultivent le surnaturel et ceux qui, dans l'œuvre, s'attachent particulièrement au développement de l'*action*, ou, si l'on veut, qui cherchent d'abord à raconter des histoires. Le conte de fées nous donne la forme première, et aussi la plus stable du récit : or, c'est dans ce conte-là qu'on trouve d'abord des événements surnaturels. *L'Odyssée, le Décaméron, Don Quichotte* possèdent tous, à différents degrés, il est vrai, des éléments merveilleux ; ce sont en même temps les plus grands récits du passé. A l'époque moderne, il n'en va pas autrement : ce sont les *narrateurs,* Balzac, Mérimée, Hugo, Flaubert, Maupassant, qui écrivent des contes fantastiques. On ne peut affirmer qu'il y ait là une relation d'implication ; il existe des auteurs d'histoires dont les récits ne font pas appel au surnaturel ; mais la coïncidence reste trop fréquente pour être gratuite. H. P. Lovecraft avait relevé le fait : « Comme la plupart des auteurs du fantastique, écrit-il, Poe est plus à son aise dans l'incident et dans les effets narratifs plus larges, que dans le dessin des personnages » (p. 59).

Pour essayer d'expliquer cette coïncidence, il faut s'interroger un instant sur la nature même du récit. On commencera par se construire une image du récit minimum, non de celui que l'on trouve habituellement dans les textes contemporains, mais de ce noyau sans lequel on ne peut pas dire qu'il y a récit. L'image sera la suivante : *tout récit est mouvement entre deux équilibres semblables mais non identiques.* Au début du récit, il y a toujours une situation stable, les personnages forment une configuration qui peut être mouvante mais qui garde néanmoins intacts un certain nombre de traits fondamentaux. Disons, par exemple, qu'un enfant vit au sein de sa famille ; il participe à une micro-société qui a ses propres lois. Par la suite, survient

quelque chose qui rompt ce calme, qui introduit un déséquilibre
(ou, si l'on veut, un équilibre négatif) ; ainsi l'enfant quitte,
pour une raison ou une autre, sa maison. A la fin de l'histoire,
après avoir surmonté maint obstacle, l'enfant qui a grandi,
réintègre la maison paternelle. L'équilibre est alors rétabli mais
ce n'est plus celui du début : l'enfant n'est plus un enfant, il est
devenu un adulte parmi les autres. Le récit élémentaire comporte donc deux types d'épisodes : ceux qui décrivent un état
d'équilibre ou de déséquilibre, et ceux qui décrivent le passage
de l'un à l'autre. Les premiers s'opposent aux seconds comme
le statique au dynamique, comme la stabilité à la modification,
comme l'adjectif au verbe. Tout récit comporte ce schéma fondamental, bien qu'il soit souvent difficile de le reconnaître :
on peut en supprimer le début ou la fin, y intercaler des digres-
sions, d'autres récits complets, etc.

Cherchons maintenant à placer les événements surnaturels
dans ce schéma. Prenons par exemple *l'Histoire des amours de
Camaralzaman*, dans *les Mille et une nuits*. Ce Camaralzaman
est le fils du roi de Perse ; et il est le plus intelligent comme le
plus beau jeune homme non seulement dans le royaume mais
au-delà même de ses frontières. Un jour, son père décide de
le marier ; mais le jeune prince se découvre soudain une aver-
sion insurmontable pour les femmes et refuse catégoriquement
d'obéir. Pour le punir, son père l'enferme dans une tour. Voici
une situation (de déséquilibre) qui pourrait bien durer dix
ans. C'est à ce moment que l'élément surnaturel intervient.
La fée Maimoune découvre un jour, dans ses pérégrinations,
le beau jeune homme et en est enchantée ; elle rencontre
ensuite un génie, Danhasch, qui connaît, lui, la fille du roi de
Chine, laquelle est évidemment la plus belle princesse du
monde et refuse obstinément de se marier. Pour comparer la
beauté des deux héros, la fée et le génie transportent la princesse endormie dans le lit du prince endormi ; puis ils les
réveillent et les observent. S'ensuit toute une série d'aventures
au long desquelles le prince et la princesse vont chercher à se

rejoindre, après cette fugitive et nocturne rencontre ; à la fin, ils se rejoindront et formeront une famille à leur tour.

Nous avons ici un équilibre initial et un équilibre final parfaitement réalistes. L'événement surnaturel intervient pour rompre le déséquilibre médian et provoquer la longue quête du second équilibre. Le surnaturel apparaît dans la série des épisodes qui décrivent le passage d'un état à l'autre. En effet, qu'est-ce qui pourrait mieux bouleverser la situation stable du début, que les efforts de tous les participants tendent à consolider, sinon précisément un événement extérieur, non seulement à la situation, mais au monde lui-même ?

Une loi fixe, une règle établie : voilà ce qui immobilise le récit. Pour que la transgression de la loi provoque une modification rapide, il est commode que des forces surnaturelles interviennent ; le récit, sinon, court le risque de traîner, en attendant qu'un justicier humain s'aperçoive de la rupture dans l'équilibre initial.

Souvenons-nous encore de l'*Histoire du second calender* : celui-ci se trouve dans la chambre souterraine de la princesse ; il peut y rester tant qu'il veut, à jouir de sa compagne et des mets raffinés qu'elle lui sert. Mais le récit en mourrait. Heureusement il existe une interdiction, une règle : ne pas toucher au talisman du génie. C'est évidemment ce que fera aussitôt notre héros ; et la situation sera d'autant plus rapidement modifiée que le justicier est doué d'une force surnaturelle : « Le talisman ne fut pas sitôt rompu que le palais s'ébranla, prêt à s'écrouler... » (t. I, p. 153). Ou lisons l'*Histoire du troisième calender* : la loi est ici de ne pas prononcer le nom de Dieu ; en la violant, le héros provoque l'intervention du surnaturel : son nautonier — « l'homme de bronze » — se renverse dans l'eau. Plus tard : la loi est de ne pas entrer dans une chambre ; en la transgressant, le héros se trouve en face d'un cheval qui l'enlève au ciel... L'intrigue en reçoit une poussée formidable.

Chaque rupture de la situation stable est suivie, dans ces

exemples, d'une intervention surnaturelle. L'élément merveilleux se trouve être le matériel narratif qui remplit au mieux cette fonction précise : apporter une modification à la situation précédente, et rompre l'équilibre (ou le déséquilibre) établis.

Il faut bien dire que cette modification peut se produire par d'autres moyens ; mais ceux-ci sont moins efficaces.

Si le surnaturel se lie habituellement au récit même d'une action, il est rare qu'il apparaisse dans un roman qui ne s'attache qu'aux descriptions ou aux analyses psychologiques (l'exemple de Henry James n'est pas ici contradictoire). La relation du surnaturel avec la narration devient dès lors claire : tout texte où il entre est un récit, car l'événement surnaturel modifie d'abord un équilibre préalable, selon la définition même du récit ; mais tout récit ne comporte pas des éléments surnaturels bien qu'il existe entre l'un et les autres une affinité dans la mesure où le surnaturel réalise la modification narrative de la manière la plus rapide.

On voit enfin en quoi la fonction sociale et la fonction littéraire du surnaturel ne font qu'un : il s'agit ici comme là d'une transgression de la loi. Que ce soit à l'intérieur de la vie sociale ou du récit, l'intervention de l'élément surnaturel constitue toujours une rupture dans le système de règles préétablies et trouve en cela sa justification.

On peut enfin s'interroger sur la *fonction du fantastique lui-même* : c'est-à-dire non plus sur celle de l'événement surnaturel mais sur celle de la réaction qu'il suscite. Cette question semble d'autant plus intéressante que si le surnaturel et le genre qui le prend à la lettre, le merveilleux, existent depuis toujours en littérature et continuent d'être pratiqués aujourd'hui, le fantastique a eu une vie relativement brève. Il est apparu d'une manière systématique vers la fin du XVIIIe siècle, avec Cazotte ; un siècle plus tard, on trouve dans les nouvelles de Maupassant les derniers exemples esthétiquement satisfaisants du genre. On peut rencontrer des exemples d'hésitation fantastique à d'autres époques, mais il sera exceptionnel que cette hésitation soit thématisée par le texte même. Y a-t-il une raison à cette courte vue ? Ou encore : pourquoi la littérature fantastique n'existe-t-elle plus ?

Pour tenter de répondre à ces questions, il faut examiner de plus près les catégories qui nous ont permis de décrire le fantastique. Le lecteur et le héros, nous l'avons vu, doivent décider si tel événement, tel phénomène appartient à la réalité ou à l'imaginaire, s'il est ou non réel. C'est donc la catégorie du réel qui a fourni sa base à notre définition du fantastique.

A peine avons-nous pris conscience de ce fait, que nous devons nous arrêter, étonnés. De par sa définition même, la littérature passe outre la distinction du réel et de l'imaginaire, de ce qui est et de ce qui n'est pas. On peut même dire que c'est, pour une part, grâce à la littérature et à l'art, que cette distinction devient impossible à soutenir. Les théoriciens de la littérature l'ont dit à maintes reprises. Ainsi Blanchot : « L'art est et n'est pas, assez vrai pour devenir la voie, trop irréel pour se changer en obstacle. L'art est un *comme si* » (*la Part du feu,* p. 26). Et Northrop Frye : « La littérature, comme les mathématiques, enfonce un coin dans l'antithèse de l'être et du non-être, qui est si importante pour la pensée discursive. (...) On ne peut dire de Hamlet et de Falstaff ni qu'ils existent ni qu'ils n'existent pas » (*Anatomy,* p. 351).

D'une manière plus générale encore, la littérature conteste toute présence de la dichotomie. Il est de la nature même du langage de découper le dicible en morceaux discontinus ; le nom, en ce qu'il choisit une ou plusieurs propriétés du concept qu'il constitue, exclut toutes les autres propriétés et pose l'antithèse de ceci et de son contraire. Or la littérature existe par les mots ; mais sa vocation dialectique est de dire plus que le langage ne dit, de dépasser les divisions verbales. Elle est, à l'intérieur du langage, ce qui détruit la métaphysique inhérente à tout langage. Le propre du discours littéraire est d'aller au-delà (sinon il n'aurait pas de raison d'être) ; la littérature est comme une arme meurtrière par laquelle le langage accomplit son suicide.

Mais s'il en est ainsi, cette variété de la littérature qui se fonde sur des oppositions langagières comme celle du réel et de l'irréel, ne serait pas littérature ?

Les choses sont, à la vérité, plus complexes : par l'hésitation qu'elle fait vivre, la littérature fantastique met précisément en question l'existence d'une opposition irréductible entre réel et irréel. Mais pour nier une opposition, il faut d'abord en reconnaître les termes ; pour accomplir un sacrifice, il faut savoir quoi sacrifier. Ainsi s'explique l'impression ambiguë que laisse la littérature fantastique : d'un côté elle représente la quintessence de la littérature, dans la mesure où la mise en question de la limite entre réel et irréel, propre à toute littérature, en est le centre explicite. D'un autre côté cependant, elle n'est qu'une propédeutique à la littérature : en combattant la métaphysique du langage quotidien, elle lui donne vie ; elle doit partir du langage, même si c'est pour le refuser.

Si certains événements de l'univers d'un livre se donnent explicitement pour imaginaires, ils contestent par là la nature imaginaire du reste du livre. Si telle apparition n'est que le fruit d'une imagination surexcitée, c'est que tout ce qui l'environne est réel. Loin donc d'être un éloge de l'imaginaire, la littérature fantastique pose la plus grande partie d'un texte comme appartenant au réel, ou plus exactement, comme provoquée par lui, tel un nom donné à la chose préexistante. La littérature fantastique nous laisse entre les mains deux notions, celle de la réalité et celle de la littérature, aussi insatisfaisantes l'une que l'autre.

Le XIXᵉ siècle vivait, il est vrai, dans une métaphysique du réel et de l'imaginaire, et la littérature fantastique n'est rien d'autre que la mauvaise conscience de ce XIXᵉ siècle positiviste. Mais aujourd'hui, on ne peut plus croire à une réalité immuable, externe, ni à une littérature qui ne serait que la transcription de cette réalité. Les mots ont gagné une autonomie que les choses ont perdue. La littérature qui a toujours affirmé cette autre vision est sans doute un des mobiles de l'évolution. La littérature fantastique elle-même, qui subvertit, tout au long de ses pages, les catégorisations linguistiques, en a reçu un coup fatal ; mais de cette mort, de ce suicide est née une littérature nouvelle. Or, il ne serait pas trop présomptueux d'affirmer que la littérature du XXᵉ siècle est, en un certain sens, plus « littérature » que toute autre. Cela ne doit évidemment pas être tenu pour un jugement de valeur : il est même possible que, de ce fait précisément, sa qualité se trouve diminuée.

Qu'est devenu le récit du surnaturel au XXᵉ siècle ? Prenons le texte sans doute le plus célèbre qui se laisse ranger dans cette catégorie : *la Métamorphose* de Kafka. L'événement surnaturel est rapporté ici dans la toute première phrase du texte : « Un matin, au sortir d'un rêve agité, Grégoire Samsa s'éveilla transformé dans son lit en une véritable vermine » (p. 7). Il y a, dans la suite du texte, quelques brèves indications d'une hésitation possible. Grégoire croit d'abord qu'il rêve ; mais il est vite convaincu du contraire. Néanmoins, il ne renonce pas aussitôt à la recherche d'une explication rationnelle : on nous dit que « Grégoire était curieux de voir se dissiper petit à petit son hallucination présente. Quant au changement de sa voix, c'était, selon sa conviction intime, le prélude de quelque chaud et froid, la maladie professionnelle des voyageurs » (p. 14).

Mais ces indications succinctes d'une hésitation sont noyées dans le mouvement général du récit, où la chose la plus surprenante est précisément l'absence de surprise devant cet événement inouï, tout comme dans *le Nez* de Gogol (« on ne s'étonnera jamais assez de ce manque d'étonnement », disait Camus à propos de Kafka). Peu à peu, Grégoire accepte sa situation comme inhabituelle mais, somme toute, possible. Lorsque le gérant de la maison où il travaille vient le chercher, Grégoire est si agacé qu'il se demande « si un jour il ne pourrait pas arriver quelque malheur du même genre à cet homme ; après tout, rien ne s'y opposait » (p. 19). Il commence à trouver un certain réconfort dans ce nouvel état qui le libère de toute responsabilité et fait qu'on s'occupe de lui. « S'il les effrayait, se dit-il en pensant à ses parents, c'était rassurant, car il cessait d'être responsable, et si les autres prenaient bien la chose, à quoi bon se tracasser ? » (p. 25). La résignation s'empare alors de lui : il finit « par conclure que son devoir était provisoirement de se tenir coi et de rendre supportables aux siens, par sa patience et ses égards, les désagréments que sa situation leur imposait malgré lui » (p. 42).

Toutes ces phrases semblent se référer à un événement parfaitement possible, à une fracture de la cheville, par exemple, et non à la métamorphose d'un homme en vermine. Grégoire s'habitue peu à peu à l'idée de son animalité : d'abord physiquement, en refusant la nourriture des hommes et leurs plaisirs ; mais aussi mentalement : il ne peut plus se fier à son propre jugement pour décider si une toux est ou non humaine ; lorsqu'il soupçonne sa sœur de vouloir lui enlever une image sur laquelle il aime se coucher, il est prêt à « sauter à la figure de sa sœur » (p. 65).

Il n'est plus étonnant, dès lors, de voir Grégoire se résigner également à la pensée de sa propre mort, tant souhaitée par sa famille. « Il resongea à sa famille avec une tendresse émue. Qu'il dût partir, il le savait, et son opinion sur ce point était encore plus arrêtée, s'il est possible, que celle même de sa sœur » (p. 99).

La réaction de la famille suit un développement analogue : il y a d'abord surprise mais non hésitation ; vient l'hostilité aussitôt déclarée du père. Dans la première scène, déjà, « le père impitoyable traquait son fils » (p. 36), et en y repensant, Grégoire s'avoue qu' « il savait depuis le premier jour de sa métamorphose que le père estimait que la sévérité la plus grande était la seule attitude indiquée envers lui » (p. 70). Sa mère continue à l'aimer, mais elle est tout à fait impuissante à l'aider. Quant à sa sœur, au début la plus proche de lui, elle passe vite à la résignation, pour arriver enfin à une haine déclarée. Et elle résumera ainsi les sentiments de toute la famille tandis que Grégoire est près de mourir : « Il faut chercher à nous débarrasser de ça. Nous avons fait tout ce qui était humainement possible pour le soigner et le supporter ; je crois que personne ne pourra nous adresser le moindre reproche » (p. 93). Si d'abord la métamorphose de Grégoire qui était leur unique source de revenus avait attristé les siens, peu à peu elle se trouve avoir un effet positif : les trois autres recommencent à travailler, ils se réveillent à la vie. « Confortablement appuyés à leurs dossiers, ils discutèrent leurs chances d'avenir ; il se trouva qu'à y regarder de près ces chances n'étaient pas, mon Dieu, tellement mauvaises, car — c'était un point sur lequel ils ne s'étaient jamais encore expliqués à fond — ils avaient trouvé tous les trois des situations vraiment intéressantes et qui promettaient surtout beaucoup pour plus tard » (p. 106-107). Et le trait sur lequel la nouvelle se termine, c'est ce « comble de l'horrible », comme l'appelle Blanchot, l'éveil de la sœur à une nouvelle vie : à la volupté.

Si nous abordons ce récit avec les catégories élaborées antérieurement, nous voyons qu'il se distingue fortement des histoires fantastiques traditionnelles. D'abord, l'événement étrange n'apparaît pas à la suite d'une série d'indications indirectes, comme le sommet d'une gradation : il est contenu dans la toute première phrase. Le récit fantastique partait d'une situation parfaitement naturelle pour aboutir au surnaturel, *la Métamorphose* part de l'événement surnaturel pour lui donner, en cours de récit, un air de plus en plus naturel ; et la fin de l'histoire est la plus éloignée qui soit du surnaturel. Du coup, toute hésitation devient inutile : elle servait à préparer la perception de l'événement inouï, elle caractérisait le passage du naturel au surnaturel. Ici, c'est un mouvement contraire qui se trouve décrit : celui de l'*adaptation*, qui suit l'événement inexplicable ;

et elle caractérise le passage du surnaturel au naturel. Hésitation et adaptation désignent deux processus symétriques et inverses.

D'autre part, on ne peut pas dire que, du fait de l'absence d'hésitation, d'étonnement même, et de la présence d'éléments surnaturels, nous nous trouvons dans un autre genre connu : le merveilleux. Le merveilleux implique que nous soyons plongés dans un monde aux lois totalement différentes de ce qu'elles sont dans le nôtre ; de ce fait, les événements surnaturels qui se produisent ne sont nullement inquiétants. En revanche, dans *la Métamorphose*, il s'agit bien d'un événement choquant, impossible ; mais qui finit par devenir possible, paradoxalement. En ce sens, les récits de Kafka relèvent à la fois du merveilleux et de l'étrange, ils sont la coïncidence de deux genres apparemment incompatibles. Le surnaturel est donné, et cependant il ne cesse pas de nous paraître inadmissible.

On est tenté d'attribuer, à première vue, un sens allégorique à *la Métamorphose* ; mais dès qu'on essaye de préciser ce sens on se heurte à un phénomène très semblable à celui qu'on a observé avec *le Nez* de Gogol (la ressemblance des deux récits ne s'arrête pas là, comme l'a montré récemment Victor Erlich). On peut certes proposer plusieurs interprétations allégoriques du texte ; mais il n'offre aucune indication explicite qui confirmerait l'une ou l'autre d'entre elles. On l'a dit souvent à propos de Kafka : ses récits doivent être lus avant tout en tant que récits, au niveau littéral. L'événement décrit dans *la Métamorphose* est tout aussi réel que n'importe quel autre événement littéraire.

Il faut remarquer ici que les meilleurs textes de science-fiction s'organisent d'une manière analogue. Les données initiales sont surnaturelles : les robots, les êtres extra-terrestres, le cadre interplanétaire. Le mouvement du récit consiste à nous obliger à voir combien ces éléments en apparence merveilleux nous sont en fait proches, jusqu'à quel point ils sont présents dans notre vie. Une nouvelle de Robert Scheckley commence par l'opération extraordinaire qui consiste à greffer un corps d'animal sur un cerveau humain ; elle nous montre à la fin tout ce que l'homme le plus normal a en commun avec l'animal (*le Corps*). Une autre débute par la description d'une invraisemblable organisation qui vous délivre de l'existence des personnes indésirables ; quand le récit s'achève, on se rend compte qu'une telle idée est familière à tout être humain (*Service de débarras*). C'est le lecteur qui subit ici le processus d'adaptation : mis d'abord en face d'un fait surnaturel, il finit par en reconnaître la « naturalité ».

Que signifie une telle structure du récit ? Dans le fantastique, l'événement étrange ou surnaturel était perçu sur le fond de ce qui est jugé normal et naturel ; la trangression des lois de la nature nous en faisait prendre encore plus fortement conscience. Chez Kafka, l'événement surnaturel ne provoque plus d'hésitation car le monde décrit est tout entier bizarre, aussi anormal que l'événement même à quoi il fait fond. Nous retrouvons donc ici (inversé) le problème de la littérature fantastique — littérature qui postule l'existence du réel, du naturel, du normal, pour pouvoir ensuite le battre en brèche — mais Kafka est parvenu à le dépasser. Il traite l'irrationnel comme faisant partie du jeu : son monde tout entier obéit à une logique onirique, sinon cauchemardesque, qui n'a plus rien à voir avec le réel. Même si une certaine hésitation persiste chez le lecteur, elle ne touche plus jamais le personnage ; et l'identification, telle qu'on l'avait observée auparavant n'est plus possible. Le récit kafkaïen abandonne ce que nous avions dit être la deuxième condition du fantastique : l'hésitation représentée à l'intérieur du texte, et qui caractérise plus particulièrement les exemples du XIX⁰ siècle.

Sartre a proposé, à propos des romans de Blanchot et de Kafka, une théorie du fantastique, qui est très proche de ce que nous venons d'avancer. Elle s'exprime dans son article « *Aminadab* ou du fantastique considéré comme un langage », dans *Situations I*. Selon Sartre, Blanchot ou Kafka ne cherchent plus à dépeindre des êtres extraordinaires ; pour eux, « il n'est plus qu'un seul objet fantastique : l'homme. Non pas l'homme des religions et du spiritualisme, engagé jusqu'à mi-corps seulement dans le monde, mais l'homme-donné, l'homme-nature, l'homme-société, celui qui salue un corbillard au passage, qui se met à genoux dans les églises, qui marche en mesure derrière un drapeau » (p. 127). L'homme « normal » est précisément l'être fantastique ; le fantastique devient la règle, non l'exception.

Cette métamorphose aura des conséquences sur la technique du genre. Si auparavant le héros auquel s'identifie le lecteur était un être parfaitement normal (afin que l'identification soit facile et qu'on puisse s'étonner avec lui devant l'étrangeté des événements), ici, c'est ce même personnage principal qui devient « fantastique » ; ainsi du héros du *Château* : « de cet arpenteur dont nous devons partager les aventures et les vues, nous ne connaissons rien sinon son obstination inintelligible à demeurer dans un village interdit » (p. 134). Il en résulte que le lecteur, s'il s'identifie au personnage, s'exclut lui-même du réel. « Et notre raison qui devait redresser le monde à l'envers, emportée dans ce cauchemar, devient elle-même fantastique » (p. 134).

Avec Kafka, nous sommes donc confrontés à un fantastique généralisé : le monde entier du livre et le lecteur lui-même y sont inclus. Voici un exemple particulièrement clair de ce nouveau fantastique, que Sartre improvise pour illustrer son idée : « Je m'assieds, je commande un café-crème, le garçon me fait répéter trois fois la commande et la répète lui-même pour éviter tout risque d'erreur. Il s'élance, transmet mon ordre à un deuxième garçon, qui le note sur un carnet et le transmet à un troisième. Enfin un quatrième revient et dit : « Voilà », en posant un encrier sur ma table. « Mais, dis-je, j'avais commandé un café-crème. Eh bien, justement », dit-il en s'en allant. Si le lecteur peut penser, en lisant des contes de cette espèce, qu'il s'agit d'une farce des garçons ou de quelque psychose collective [ce que Maupassant voulait nous faire croire dans *le Horla*, par exemple], nous avons perdu la partie. Mais si nous avons su lui donner l'impression, que nous lui parlons d'un monde où ces manifestations saugrenues figurent à titre de conduites normales, alors il se trouvera plongé d'un seul coup au sein du fantastique » (p. 128-129). Voici en un mot la différence entre le conte fantastique classique et les récits de Kafka : ce qui était une exception dans le premier monde, devient ici la règle.

Disons pour conclure que par cette rare synthèse du surnaturel avec la littérature en tant que telle, Kafka nous permet de mieux comprendre la littérature elle-même. Nous avons maintes fois déjà évoqué le statut paradoxal de celle-ci : elle ne vit qu'en ce que le langage quotidien appelle, pour sa part, des contradictions. La littérature assume l'antithèse entre le verbal et le transverbal, entre le réel et l'irréel. L'œuvre de Kafka nous permet d'aller plus loin et de voir comment la littérature fait vivre une autre contradiction en son cœur même ; c'est à partir d'une médiation sur cette œuvre qu'elle se formule dans l'essai de Maurice Blanchot « Kafka et la littérature ». Une vue courante et simpliste présente la littérature (et le langage) comme une image de la « réalité », comme un décalque de ce qui n'est pas elle, comme une série parallèle et analogue. Mais cette vue est doublement fausse car elle trahit aussi bien la nature de l'énoncé que celle de l'énonciation. Les mots ne sont pas des étiquettes collées à des choses qui existent en tant que telles indépendamment d'eux. Quand on écrit, on ne fait que cela ; l'importance de ce geste est telle, qu'il ne laisse place à aucune autre expérience. En même temps, si j'écris, j'écris de quelque chose, même si ce quelque chose est l'écriture. Pour que l'écriture soit possible, elle doit partir de la mort de ce dont elle parle ; mais cette mort la rend elle-même impossible, car il n'y a plus quoi écrire. La littérature ne peut devenir possible que pour autant qu'elle se rend impossible. Ou bien ce qu'on dit est là présent, mais alors il n'y a pas place pour la littérature ; ou bien on fait place à la littérature, mais alors il n'y a plus rien à dire. Comme l'écrit Blanchot : « Si le langage, et en particulier le langage littéraire, ne s'élançait constamment, par avance, vers sa mort, il ne serait pas possible, car c'est ce mouvement vers son impossibilité qui est sa condition et qui le fonde » (*la Part du feu*, p. 28).

L'opération consistant à concilier le possible et l'impossible peut fournir sa définition au mot « impossible » lui-même. Et pourtant la littérature *est* ; c'est là son plus grand paradoxe.

Septembre, 1968

Ouvrages cités
ou auxquels il est fait allusion

1. *Textes fantastiques et de genres voisins*

ARNIM A. D', *Contes bizarres*, trad. par Théophile Gautier fils, Paris, Julliard (coll. « Littérature »), 1964.

BALZAC H. DE, *La Peau de chagrin*, Paris, Garnier, 1955.

—, *Louis Lambert*, in : *La Comédie humaine*, t. X, Paris, Bibliothèque de la Pléiade, 1937.

BATAILLE G., *Le Bleu du ciel*, Paris, Pauvert, 1957.

BECKFORD W., *Vathek et les Episodes*, Paris, Stock, 1948.

BIERCE A., *Contes noirs*, trad. par Jacques Papy, Paris, Losfeld, s.d.

CARR J. D., *La Chambre ardente*, Paris, le Livre de poche, 1967.

CASTEX P.-G. (éd.), *Anthologie du conte fantastique français*, Paris, Corti, 1963.

CAZOTTE J., *Le Diable amoureux*, Paris, le Terrain vague, 1960.

CHRISTIE A., *Dix petits nègres*, Paris, Librairie des Champs-Elysées, 1947.

GAUTIER T., *Contes fantastiques*, Paris, Corti, 1962.

—, *Spirite*, Paris, le Club français du livre, 1951.

GOGOL N., *Récits de Petersbourg*, trad. par Boris de Schloezer, Paris, Garnier-Flammarion, 1968.

HOFFMANN E. T. A., *Contes fantastiques* (3 vol.), trad. par Loève-Veimars *et al.*, Paris, Flammarion, 1964.

JAMES H., *Le Tour d'écrou*, trad. par M. Le Corbeiller, Paris, 1947.

KAFKA F., *La Métamorphose*, trad. par A. Vialatte, Paris, Gallimard, 1955.

LEWIS M. G., *Le Moine*, in : A. Artaud, *Œuvres complètes*, t. VI, Paris, Gallimard, 1966.

MAUPASSANT G. DE, *Onze histoires fantastiques*, Paris, Robert Marin, 1949.

MÉRIMÉE P., *Lokis et autres contes*, Paris, Julliard (coll. « Littérature »), 1964.

Les Mille et une nuits (3 vol.), Paris, Garnier-Flammarion, 1965.

NODIER C., *Contes*, Paris, Garnier, 1963.

NERVAL G. DE, *Aurélia et autres contes fantastiques*, Verviers, Marabout, 1966.

PERRAULT C., *Contes*, Verviers, Marabout, s.d.

POE E., *Histoires extraordinaires* (H.E.), Paris, Garnier, 1962.

—, *Histoires grotesques et sérieuses* (H.G.S.), Paris, Garnier-Flammarion, 1966.

—, *Nouvelles Histoires extraordinaires* (N.H.E.), Paris, Garnier, 1961 (tous les trois volumes, traduits par Ch. Baudelaire).

POTOCKI J., *Die Abenteuer in der Sierra Morena*, Berlin, Aufbau Verlag, 1962.

— *Manuscrit trouvé à Saragosse*, Paris, Gallimard, 1958.

SHECKLEY R., *Pèlerinage à la Terre*, Paris, Denoël (coll. « Présence du futur »), 1960.

VILLIERS DE L'ISLE-ADAM, *Contes fantastiques*, Paris, Flammarion, 1965.

2. *Autres textes*

BLANCHOT M., *La Part du feu*, Paris, Gallimard, 1949.

—, *Le Livre à venir*, Paris, Gallimard, 1959.

BUBER M., *La Vie en dialogue*, Paris, Aubier-Montaigne, 1959.

CAILLOIS R., *Au cœur du fantastique*, Paris, Gallimard, 1965.

—, *Images, images...*, Paris, Corti, 1966.

CASTEX P.-G., *Le Conte fantastique en France*, Paris, Corti, 1951.

CHKLOVSKI V., « L'Art comme procédé », in : *Théorie de la littérature*, Paris, Ed. du Seuil, 1965.

EIKHENBAUM B., « Sur la théorie de la prose », in : *Théorie de la littérature*, Paris, Ed. du Seuil, 1965.

ERLICH V., « Gogol and Kafka : Note on Realism and Surrealism », in : *For Roman Jakobson*, La Haye, Mouton, 1956.

FLETCHER A., *Allegory*, Ithaca, Cornell University Press, 1964.

FONTANIER P., *Les Figures du discours*, Paris, Flammarion, 1968.

FREUD S., *Essais de psychanalyse appliquée* (E.P.A.), Paris, Gallimard, 1933.

—, *Gesammelte Werke*, t. XIII, Londres, Imago Publishing Company, 1940.

—, *Le Mot d'esprit dans ses relations avec l'inconscient*, Paris, Gallimard, 1953.

—, *Psychopathologie de la vie quotidienne*, Paris, Payot (coll. « Petite bibliothèque Payot »), 1967.

FRYE N., *Anatomy of Criticism*, New York, Atheneum, 1967.

—, *The Educated Imagination*, Bloomington, Bloomington University Press, 1964.

—, *Fables of Identity*, New York, Harcourt, Brace & World, 1961.

—, « Preface », in : G. Bachelard, *The Psychoanalysis of Fire*, Boston, Beacon Press, 1964.

GENETTE G., *Figures*, Paris, Ed. du Seuil, 1966.

—, *Figures II*, Paris, Ed. du Seuil, 1969.

GIRARD R., *Mensonge romantique et Vérité romanesque*, Paris, Grasset, 1961.

JAMES M. R., « Introduction », in : V. H. Collins (ed.), *Ghosts and Marvels*, Oxford University Press, 1924.

KASANIN J. S., (ed.), *Language and Thought in Schizophrenia*, New York, W. W. Norton & Cᵒ, 1964.

LÉVI-STRAUSS C., *Anthropologie structurale*, Paris, Plon, 1958.

LOVECRAFT H. P., *Supernatural Horror in Literature*, New York, Ben Abramson, 1945.

MABILLE P., *Le Miroir du merveilleux*, Paris, les Editions de Minuit, 1962.

MAUSS M., « Esquisse d'une théorie générale de la magie », in : M. Mauss, *Sociologie et Antropologie*, Paris, P.U.F., 1960.

OSTROWSKI W., « The Fantastic and the Realistic in Literature, Suggestions on how to define and analyse fantastic fiction », in : *Zagadnienia rodzajow literackich*, IX (1966), 1 (16) : 54-71.

PARREAU A., *William Beckford, auteur de Vathek*, Paris, Nizet, 1960.

PENZOLDT P., *The Supernatural in Fiction*, Londres, Peter Nevill, 1952.

PIAGET J., *Naissance de l'intelligence chez l'enfant*, Neuchâtel, Delachaux ; Paris, Niestlé, 1948.

—, *Six études de psychologie*, Paris, Gonthier, 1967.

POPPER K., *The Logic of Scientific Discovery*, New York, Basic Books, 1959.

RANK O., *Don Juan. Une étude sur le double*, Paris, Denoël et Steele, 1932.

REIMANN O., *Das Märchen bei E.T.A. Hoffmann*, Munich, Inaugural-Dissertation, 1926.

RICHARD J.-P., *Littérature et Sensation*, Paris, Ed. du Seuil, 1954.

—, *L'Univers imaginaire de Mallarmé*, Paris, Ed. du Seuil, 1962.

—, *Poésie et Profondeur*, Paris, Ed. du Seuil, 1955.

SARTRE J.-P., *Situations I*, Paris, Gallimard, 1947.

SCARBOROUGH D., *The Supernatural in Modern English Fiction*, New York & Londres, G. P. Putnam's Sons, 1917.

SCHNEIDER M., *La Littérature fantastique en France*, Paris, Fayard, 1964.

TODOROV T., *Poétique*, Paris, Ed. du Seuil, 1968.

TOMACHEVSKI B., « Thématique », in : *Théorie de la littérature*, Paris, Ed. du Seuil, 1965.

VAX L., *L'Art et la Littérature fantastiques*, Paris, P.U.F. (coll. « Que sais-je ? »), 1960.

Le Vraisemblable (*Communications*, 11), Paris, Ed. du Seuil, 1968.

WATTS A., *The Joyous Cosmology*, New York, Vintage Books, 1962.

WIMSATT W. K., « Northrop Frye : Criticism as Myth », in : M. Krieger (ed.), *Northrop Frye in Modern Criticism*, New York, Columbia University Press, 1966.

NOTE : Deux livres cités dans cette bibliographie ont paru, depuis la composition du présent ouvrage, en traduction française : *Anatomy of Criticism* de Frye (Gallimard, 1969) et *Supernatural Horror in Literature* de Lovecraft (Christian Bourgois, 1969). Nous n'avons pu nous référer à ces traductions.

Table

Du même auteur

AUX MÊMES ÉDITIONS

Poétique de la prose
1971
et « Points Essais » n° 120, 1980

Dictionnaire encyclopédique des sciences du langage
(avec Oswald Ducrot)
1972

Qu'est-ce que le structuralisme ? Poétique
« Points Essais » n° 45, 1973

Théorie du symbole
1977
et « Points Essais » n° 176, 1985

Les Genres du discours
1978
repris sous le titre
La Notion de littérature et autres essais
« Points Essais » n° 188, 1987

Symbolisme et interprétation
1978

Mikhaïl Bakthine, le principe dialogique
Suivi de
Écrits du Cercle de Bakhtine
1981

La Conquête de l'Amérique
1982
et « Points Essais » n° 226, 1991

Critique de la critique
1984

Nous et les autres
La réflexion française sur la diversité humaine
1989
et « Points Essais » n° 250, 1992

Face à l'extrême
1991
et « Points Essais » n° 295, 1994

Une tragédie française
1994
et « Points Essais » n° 523, 2004

La Vie commune
Essai d'anthropologie générale
1995
et « Points Essais » n° 501, 2003

L'Homme dépaysé
1996

Devoirs et délices
Une vie de passeur
Entretiens avec Catherine Portevin
2002
« Points Essais » n° 540, 2006

La Signature humaine
Essais 1983-2008
2009

L'Expérience totalitaire
La signature humaine 1
« Points Essais » n° 675, 2011

Vivre seuls ensemble
La signature humaine 2
« Points Essais » n° 684, 2012

La Peinture des Lumières
De Watteau à Goya
2014

CHEZ D'AUTRES ÉDITEURS

Littérature et signification
Larousse, 1967

Grammaire du Décaméron
La Haye, Mouton, 1969

Frêle bonheur
Essai sur Rousseau
Hachette Littératures, 1985

Les Morales de l'histoire
Grasset, 1991
Hachette, « Pluriel », n° 866, 1997

Éloge du quotidien
Essai sur la peinture hollandaise du XVIIᵉ siècle
Adam Biro, 1993
Seuil, « Points Essais » n° 349, 1997

Les Abus de la mémoire
Arléa, 1995
et « Arléa Poche » n° 44, 2004

Benjamin Constant
La passion démocratique
Hachette Littératures, 1997
« Le Livre de poche » n° 4361, 2004

Le Jardin imparfait
La pensée humaniste en France
Grasset, 1998
« Le Livre de poche » n° 4297, 1999

Mémoire du mal, tentation du bien
Enquête sur le siècle
Robert Laffont, 2000
« Le Livre de poche » n° 4321, 2002

Éloge de l'individu
Essai sur la peinture flamande de la Renaissance
Adam Biro, 2001
Seuil, « Points Essais » n° 514, 2004

Montaigne ou la découverte de l'individu
La Renaissance du livre, 2001

Germaine Tillion, une ethnologue dans le siècle
(avec Christian Bromberger)
Arles, Actes Sud, 2002

Le Nouveau Désordre mondial
Réflexions d'un Européen
Robert Laffont, 2003
« Le Livre de poche » n° 4380, 2005

La Naissance de l'individu dans l'art
(avec Bernard Foccroulle et Robert Legros)
Grasset, 2005

La Littérature en péril
Flammarion, 2006
« Champs essais » n° 1109, 2014

Les Aventuriers de l'absolu
Robert Laffont, 2006

L'Esprit des Lumières
Robert Laffont, 2006
« Le Livre de poche » n° 4418, 2007

La Peur des barbares
Au-delà du choc des civilisations
Robert Laffont, 2008
LGF, « Biblio Essais », 2009

L'Art ou la vie !
Le cas Rembrandt
Biro éditeur, 2008

Le Siècle des totalitarismes
Face à l'extrême ; Une tragédie française ;
L'homme dépaysé ; Mémoire du mal, tentation du bien
Robert Laffont, « Bouquins », 2010

Germaine Tillion, la pensée en action
Textuel, 2011

Goya à l'ombre des Lumières
Flammarion, 2011

Les Ennemis intimes de la démocratie
Robert Laffont, 2012
LGF, « Biblio Essais », 2014

DIRECTION D'OUVRAGES

Théorie de la littérature
Textes des formalistes russes
Seuil, 1966
et « Points Essais » n° 457, 2001

L'Enseignement de la littérature
(avec Serge Doubrovsky)
Plon, 1970

Au nom du peuple
Témoignages sur les camps communistes
La Tour d'Aigues, Éditions de l'Aube, 1992

Mélanges sur l'œuvre de Paul Bénichou
(avec Marc Fumaroli)
Gallimard, 1995

Guerre et paix sous l'occupation
(avec Annick Jacquet)
Arléa, 1996

La Fragilité du bien
Le sauvetage des juifs bulgares
Albin Michel, 1999

Marina Tsvetaeva
Vivre dans le feu
Robert Laffont, 2005
« Le Livre de poche » n° 3446, 2008

Le Siècle de Germaine Tillion
Seuil, 2007

La Conquête
Récits aztèques
(avec Georges Baudot)
Seuil, 2009

Germaine Tillion
Fragments de vie
Seuil, 2009
et « Points Essais » n° 712, 2013

Georges Jeanclos
Biro & Cohen éditeurs, 2011

IMPRESSION : NORMANDIE ROTO IMPRESSION S.A.S À LONRAI
DÉPÔT LÉGAL : JANVIER 2015. N° 122638-2 (1503437)
IMPRIMÉ EN FRANCE